青山浩と西原理恵子の

太腕繁盛記

超格差社会脱出！ 編

《目次》

失敗しても次から次へ
青山浩の失敗と成功に学ぶ

過去と現実を知り、未来へ！

成果を出せる豆知識と大切な思考！

ウクライナ戦争の背景にあることと、これからの世界について

未来予測まとめ

格差社会の中でも
「人生の目標」は
誰でも達成できます。
ぜひ、この本の対談から
ヒントを得てください。

青山 浩（通称：ぽんちゃん、ぽん太）／**実業家**

株式会社キャピタルギャラリー代表取締役。関西大学客員教授。

灘高→東大→某有名銀行勤務という輝かしい経歴を持つ。
西原理恵子と「太腕繁盛記」でコンビを組んで15年目。

西原理恵子／漫画家

一般財団法人高須克弥記念財団理事長。

前作『太腕繁盛記FX（新潮社 刊）』でも漫画・イラストを担当。虎の子の一千万円を元手にチャレンジしたFX初挑戦は、果たしてどうなったのか？
今回は、青山浩との対談も。

青山浩と西原理恵子の

太腕繁盛記

超格差社会脱出！ 編

失敗しても次から次へ！

青山浩の失敗と成功に学ぶ

超格差社会をどう生き抜くべきか？一度考えてみよう！

◆【祝】奇跡の『太腕繁盛記』の続編出版！

青山 ついに……ついに太腕繁盛記の続編が出版されることになりました!!

西原 前作の「FX編」が出版されから約10年が経っていますからね!! その間、いろいろな変化がありましたねぇ。青山社長は、私が当時出会った頃と違って、株式会社ウェブクルーの社長ではないし、選挙に出て落選するし、関西大学で客員教授になるし、一体どういう展開になってるのか（笑）。

青山 チャレンジの連続です（笑）。思えば「FX編」は、当時、社長の任に就いていたIT起業『株式会社ウェブクルー』の一事業として始めたFX事業の広告漫画をベースにした一冊でしたね。

西原 今回の本は、どういう構成になっているの？

青山 今回は壮大なテーマがありまして……。

西原 ほうほう。

青山 私が関西大学で「格差社会と言われている社会に、新社会人としてデビューする学生の皆さんが、どのように考えてどう対処していくのか」ということをテーマに講義をしたのですが、それが割と好評でして。

西原 私も講義を大変面白く、拝聴させていただきました。

青山 ありがとうございます。具体的には以下のような順番で話をしました。

【1】格差社会、学歴、職業、人生の目的、社会で、人生の目的を達成するために

【2】自分に照らして
自分自身20代、30代、40代どのように考え
結果がどうだったか？
【3】現在の日本の状況
金融緩和 新型コロナウィルス 社会の価値観
【4】これからの世界
国内外の情勢 ウクライナ戦争 中国脅威論
【5】まとめ

西原 そうでしたよね。学生さんに向けて、働くことの目的や、ご自身の働いてきた経歴、そのときに何をどう考えてどうしてきたかなど、いろいろ話していましたよね。これは太腕繁盛記のテーマと全く同じ!!

青山 そこで、今回は大学の講義と漫画を混ぜて、「読者の皆さんにいろいろ考えてもらう」と共に、「読者の皆さんの人生の繁盛を願う」という展開にしたいと思います。

西原 なるほど……テーマは壮大だ!!

青山 では、関西大学での講義をベースに、順番に話を展開していきたいと思います。新しい『太腕繁盛記』の始まりです。

青山浩は
火鍋とか
投資家とか
いろいろ屋さんで
関西大学の
客員教授で
講演なんかも
やったりする
まぎれこんでる
学生の頃の私の夢は
警察官僚になり
世の中を良くすること
そのために猛勉強
灘高から
東大法学部、
公務員試験を
落ちました
敗因としては
大学ってのは
麻雀の面子を
集めに行く
だけのとこって
思ってましてー
しんけん
そっから就活
まだ
一つだけ
募集してた
銀行に
合格
一生を
かけた
警察への
夢はー
初志貫徹とか
ダルくなってて
公務員試験
落ちて
プライド
折れ
ちっち
しんけん
そっから銀行員
上司と
超絶
合わなくて
石の上
にも
三年という
言葉を見習い
三年でソッコー
やめました
しんけん

そこから起業
一年でツブれ
村上ファンドにもぐり込み
給料なんかいりません
ただ働きさせてください
と言いながら
きっちり給料もらってノウハウ学習
そこからウェブクルーの社長へ
人生あがり
ここで初心にかえりやはり私は世の中を良くしたいんだと
政界出馬選挙
落選
ようするに
がっ
ぐだぐだ自立自尊
by ひろし
こんな生き方も
アリっちゅうことで
学生さん感動してたのか、困惑してたのか
ちょー しんけん
真似しないでほしいわー
日本の未来のためにがんばってください
皆さまよいお年を

決意の関西大学の客員教授への就任で感じたこと！

◆青山ぽん太社長、関西大学客員教授に就任！

西原　そもそも、どういう経緯で関西大学の客員教授になることになったの？

青山　私が選挙にチャレンジしていた時に、以前、関西大学の理事長をされていた、故・森本靖一郎先生と出会ったことがきっかけでした。

西原　そういう出会いがあったのね。

青山　森本先生には、非常に目をかけていただきました。選挙に落ちた後、「関西大学で客員教授をやって、学生に実社会の話をしてほしい」と、お声がけをいただいて……。

西原　で、二つ返事で引き受けたと。

青山　政治家も、学校の先生も同じ一面があるのです。学生さんに対して、主に知識を伝えることを通じて、学生さんの人生観の確立をサポートして、学生さんの人生を希望に溢れたものにすることが大切です。

西原　で、面白そうだからやってみたい、と。

青山　関西大学で客員教授を務めさせていただくのも、２０２２年で３回目になりましたが、最初の年（２０１９年）は、コロナ感染症が発生する前でしたので、大きな教室で講義を行うことができました。初めて大学で講義をさせてもらったので、かなり緊張して、のどがカラカラになりました。

西原　私も実際に、講義拝聴せていただきましたね。

青山　１時間半ほど休みなしで話すというのは、大変でした。最後は、呼吸困難（笑）かと思うほど、胸もしんどくなってきました。

西原　学生さんたちはすごく楽しそうでしたよ。また、本当に真剣でびっくりしました。

青山　講義の後で送ってもらった学生さんたちのコメントや感想には、ムチャクチャ元気づけられました。次回はもっと分かりやすく話そうという意気込みが湧きました。

とても良い経験になり、自分にとってもいい勉強になりましたよ。

西原　今どきの学生さんは、本当に真面目ですね。何百人も集まっているのに、私語もしないし、配布されたパワーポイントの資料に、いろいろと書き込んでいましたね。私の学生時代とはえらい違いだと思って聞いていましたよ。

青山　そういえば、西原先生が、学舎の中に展示されていたオーストリアで発見された『豊臣期大坂図屏風』の復元陶板に足を止めて、見入っていたのは驚きました。

西原　私は研究者ではなく、漫画家ですからね。屏

風に書かれている建物の屋根を示す線の使い方、色のグラデーション、色の混ぜ合わせ方、当時の着物の柄や模様、デフォルメの仕方など、絵としての技術の高さと面白さに、魅入られましたよ。

青山　学内を案内してくださった先生も、「何十人とお客さんを案内しましたが、この屏風の前で足を止めて、真剣に細部にいたるまで目を動かして見ていた方は初めてです」と、とても驚いてましたよ。

西原　何時間見ていても見飽きないので、もう少し時間が欲しかったわ。

青山　また機会がある時にぜひ。
　さて、この本では、講義でお話させていただいたように、自分自身の紹介を兼ねて20代、30代、40代のさまざまなイベントの体験に合わせて、その時々の人生の価値観と行動と結果をお話していきます。

西原　ちょっとワクワクするね。

青山　まずは、大学を卒業して、はじめの就職で銀行に就職して、その後、また独立起業に失敗したのち、村上ファンドに入社しました。そして、再度独立したころのお話から……。そんな20代でした。

関西大学
客員教授
青山浩語る
「脱格差社会論」
熱心に聞き入る学生達
その期待に答えんと
自身の全人生を語りつくす
東大出て
官僚試験落ちて
銀行三年でやめて
見事IT会社
起業即倒産
モンゴルでカジノ
大成功従業員が
即ドロボー
中国で
全ドロボー
負けても負けても大丈夫
場所を変えればたまに勝つ
人生の勝者って
人の役に立つように
おチャクラ全開
こっぱー

人生の目的、学歴のもつ意味について熱く語る青山ポン太

◆人生の目的を明確にすることは大切！

青山　さて、では講義の最初にお話しした、働くにあたって「人生の目的を明確に」というところから入りましょう。

　人生の目的は、人それぞれです。人は親から独立して社会人となって働き、それぞれ多くの人が「地位、名誉、金、愛、夢など」を追うことになります。

　ただ、人によってはとにかく金があればいいという人や、バランスよく地位と金が必要だという人もいるでしょうし、俺は愛だけでいいという人もいるでしょう。

　そして人生の目的を追いながら働いて、親から自立して、まずは自分の給料で自分一人が生活できるように、ならなくてはならない。

西原　ど正論だね。

青山　仕事ができるようになってくると、給料が増えて家族を養うことができるようになり、結婚して家族を養う段階に至ります。

　よく結婚で重要視されることは価値観の一致、という人が多いのですが、これは当たり前でしょう。「とにかく金があればいいという女性」と、「夢だけでいいという男性」が結婚することは、ほぼないと思います。

　しかし、もし結婚することになったら、すぐに離婚という話になることが目に見えていますよね。

西原　まあ、夫婦の関係は一概には言えないけど、そういう要素が大事なのは確かだね。

青山　ここで人生の目的だけでなく働く目的も関係してくるのですが、まず働く目的は親から自立し、自分の人生の目的を追うことになります。

　そこで、世の中で多いのは、〔いい会社〕で働きたいという人が、数多くいるということです。

西原　私も「働く」ということに関しては、いろいろな思いがあるな……。

青山　ここで大切なことは、「どこで働くかは二の次だ」ということです。

その会社の商品が好きなら、働いても楽しい時間がたくさんあると思いますが、世の中がいい会社だと思っていても、自分がその会社の商品や文化が好きでなければ興味が持てないですよね。働いていても熱意が持てず、その結果、昇給も昇格もしないということになります。

西原　そういうケースは、たくさんあると思う

青山　でもまあ、良くも悪くもみんな働いて、親から自立します（笑）。

ここで重要なのは、親は子どもが少しでも人生の目的を達成できるように、子どもに学歴を身につけさせようとするということです。

就職の際には、学歴だけが客観的指標であるということ、そしてランクの高い学校に行くことでコネクションができることを重視しています。

西原　それが一般的な発想だよね。

青山　子どもの人生がうまく行くことを自分の人生の最上位に置いている親は多いと思います。例えば、病気で死ぬことが明らかな親が気になるのは、やはり残していく子どもの行く末でしょう。

親は子どもの人生がうまくいくように教育を施し、客観的指標である学歴を身につけさせようとします。その目的は就職の武器とコネクションを得ること。

そういう言い方をすると、親が子どもの教育に回すお金がなかった場合は、どうするのかという話になりますが、条件が不利なだけです。

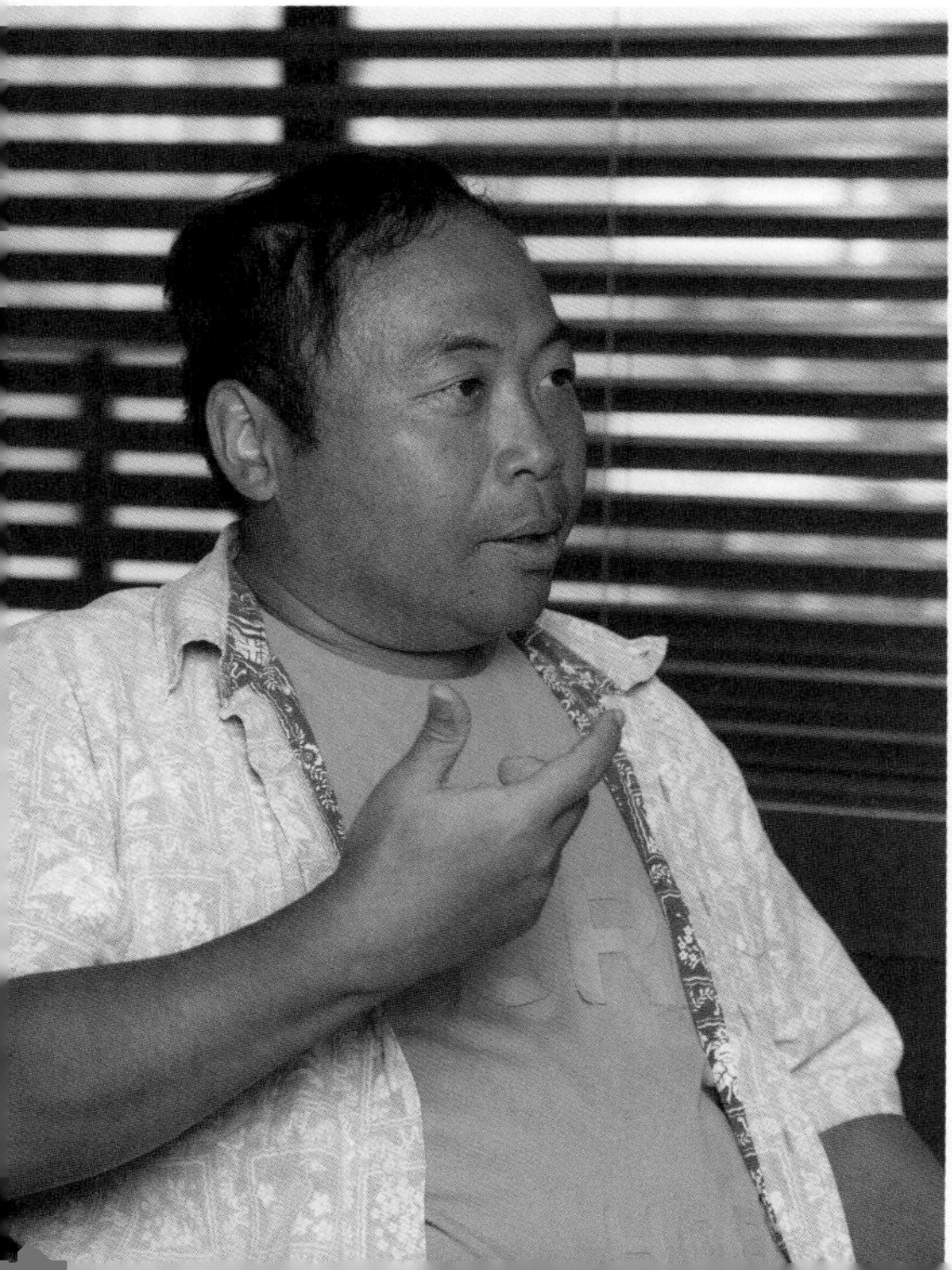

条件が不利なことに対して不平をいう人もいますが、「不平を言っているだけで人生が終わってしまいますよ」と、ついつい言いたくなってしまいます。

西原　その気持ちは分かる！

青山　条件が不利でも解決策は必ずあります。

それは条件が有利な人よりも、努力と工夫をし、成果を出すことです。自分のおかれた条件、自分ができること、そして周りがしてほしいと思っていること、したいことを考えて、努力と工夫をして、成果を上げることが大事です。

この「成果」という一点に関しては、条件の有利・不利は関係なく平等なのです。

西原　「成果」を出しているという事実は、自分のものでしかないからね。

青山　プロ野球で活躍したイチロー選手のことを例にとると、彼は最初オリックスのドラフト六位で入団し、二軍からのスタートでした。

しかし、野球が大好きだったので、誰よりも工夫して努力して成果を出しました。そして伝説の野球選手となり、お金も地位も名誉も手に入れたのです。

しかし私は、イチロー選手は、とにかく野球をし続けたかっただけだと思います。

そう考えれば、「親が貧乏で学歴がない」という状況だったとしても、その不利な状況を嘆いていては、何も始まらないということです。

西原　嘆いている時間がもったいないよね！

青山　どんな状況にあったとしても、諦めずに努力をしていくことが、いかに大切なのか、ということです。

◆社会にでたら人間関係を大切に！

青山　社会に出たら人との出会いを大切にしましょう。その人のおかれた環境によりますが、先輩、師匠、友人、恋人、子どもなど、多くの人間関係が生まれます。人間社会は、共同体ですからね。

社会で出世できる条件は、５つあると思います。

【1】人に好かれる
【2】仕事ができる
【3】健康である
【4】外見が良い
【5】話が面白い

このうち、頭の良さは、【1】【2】【5】には必要ですが、頭がいいからといって、その人が必ずしも好かれて仕事ができて、話が面白いわけではありません。

学歴が、頭の良さを示す一つの指標であることは間違いないと思います。しかし、学校の勉強ができて学歴が高くなるということは、世界が一人だけの結果であり、それで完結してしまいます。

人に好かれるということや、話が面白いということは、あくまで相手（他者）が評価するものです。つまり、人間は、他人の評価を気にしながら、自分の行為を実行するということなのです。

西原　人間が社会的生き物だということは、どこかで習ったような気がする。

青山　このことを、アダム・スミスという昔の偉い学者先生は、「人間は利己心と共感の論理をもっている生き物だ」と表現しています！

西原　アダム・スミスっていう名前は知ってる（笑）。

青山　体育会の学生が、会社の面接でなぜ受けがいいのかということを考えると、会社の本質がよく分かります。

体育会は、規律を重視して行動します。技術向上のために、無駄に思えるような反復練習、基礎トレーニングを、嫌がらずに団体で行うように訓練されています。

組織体を維持するためには、一見無駄に思えるようなことでも、繰り返し実行する必要があります。また、個人が勝手なことばかりしていると、組織体の規律も緩みます。ですから、それらのことに慣れている体育会系出身者は、会社では受けがいいのです。
さらに、勉強ができるということになれば、上層部からも使い勝手のいい人物と認識されるでしょう。

西原　ぐたぐたと理屈を並べ立てて、能書きを言っているより、さっさと素早く動いて、物事を片付けてくれたら、うれしいものね。長々と話をされると、ど突きたくなるもの。私の場合は、ど突かれていた方が多かったような気がするけど（苦笑）。

青山　西原先生は、そちらの側でしょうね。

西原　ちょっと！　まあ、面接の結果なんて、結局は人と人との相性によって決まるからね。でも正確に、そして正当に人を評価することは、すごく難しいことだから、若い人たちには、面接ごときに一喜一憂せず、堂々としていてもらいたいわ（笑）。

青山　イエス、イエス！　うまく企業に潜り込めて、そこで上司に好かれて、使える奴と見なされるようになれば、そこでのポジションが上昇して、時間ができるようになります。
時間ができたら、その状況を上手く利用しながら、30才で1000万円の収入を得られるようになる、というような目標設定をして働ければと、なお良いですね。
目標なくして、実現なし！

西原　そうそう。私は、絵を描くことが好きで、好きでたまらなかったから、苦労して美大に進学したけど、現在の若者の多くは、親が進めるままに大学へ進むよね。それでは、理想の自分に近づけない気がする。

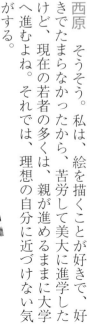

学歴は人を判断する上で完全ではないが客観的基準ではある

◆もういまの学校のシステムは時代にマッチしていない

青山　親も、学歴が人の実力を測る上で完全なものでない、ということを分かっていると思います。それでも、親は一生懸命に子どもを塾に通わせます。

　育ってきた環境がそれぞれバラバラで、その遺伝子に本当はさまざまな能力を秘めている可能性があるのに、学校の勉強だけで人を区別しているわけです。

　現在の学校の勉強は、基本スペックの一つにしか過ぎないのです。しかも、明治時代に導入された、工場で働くことを意識した教育システムの名残りなのですよね……。

西原　え、それどういうこと？　まあ、確かに、学校の一つの教室に30人とか40人とかが集められて、教えるのが下手な先生が、汚い字で黒板に書いている内容を写していることに、何の意味があるのかとは思っていましたけど。

青山　明治時代に導入されたようです。工場で働く労働者を育成するためには、時間通りに来て、同じ作業を効率的にできるかどうかが、とても重要な教育でしたからね。

西原　だから、想像力や創造力が必要な仕事をすることには向いていないのね。私も、学校の決められた時間に決められたことをさせられるのって、無茶苦茶イヤだった。反発したら、すぐに停学とかにさせられたし（笑）。

青山　西原先生は、規格外だったのでしょう（笑）。一般の枠にはまらなかったからこそ、社会に出てからの人生でその想像力と創造力を、完全に発揮しているではないですか（笑）。

　しかし悲しいことに、就職時には最も大きな客観的基準として「学歴」がありますからね。
　親は子どもの幸せ（人生の目標達成）を無償の愛で願ってくれる唯一の存在です。だからこそ、自分がいなくなった後でも、子どもが一人で自立自存できるようにと願って、子どもに教育を施すのですよ。

西原　親子の間は難しいなあ……。いくら親が頑張っても、なかなかお互いに分かり合えないしね。でも、子どもには、自分が天国（？）に行ってからも、楽しく生きていて欲しいというのは確かね。安定した良い就職先と職業を選んで欲しい！

青山　子どもは親からの依存を脱し、自立自存するために就職するのです。「自分の食いぶちは自分で稼ぐ」という強い意志をもたなければ！
　そのために、自分の時間を社会に提供して、その時間を給料に変えています。自分の貴重な24時間が自分の食い扶持の源泉になります。
　まずは自分を養い、次に家族を養い、さらに余力がある人は新しい仕事を生み出し、他人を雇い養うようになります。近道はないですね。

西原　考えてみたら社長も、よく働いているものね。朝早く起きて、仕事しているもの。遊ぶときも、集中して豪快に遊んでいるけどね（笑）。

青山　ハハハ。早起きは銀行員時代の単なる習性です（笑）。企業の人事は、学歴で大枠をとって、最終的には人柄で採用します。そのために、面接が重視されます。ただ面接は、その日の体調やテンションによって印象が変わりますし、面接員によっても、印象は大きく変わってきます。
　現在はネットでWebテストなどが盛んに行われています。ただ、トレーニングをすれば、誰でもできるようになるので、結果には大差がありません。トレーニングをするとできることが分かっているのに、トレーニングをしていないということは、論外ですが……。

西原　社長が面接される立場なら、きっと印象はいいでしょうね。まあ、私もなんだけどね。気が利くもの（笑）。
　企業側は、面接をできる人数に限界があるから、ある程度、学歴で区切って面接しますよね。

青山　私は、仕事ができる人は基本的に人に好かれる人で、それを探るために面接をしてるのだと思います。

西原　人に好かれる人は、どうして仕事ができるのかしら？

青山　仕事ができる人は、取引先や部下やお客さんのニーズをすぐに察知し、最適なレスポンスや行動ができる人だと思います。それを面接で見極めているわけです。しかし、面接の評価が正しいとはまあ分からないですけど。

西原　学歴が高いのに、面接で落ちてしまい人間的に問題あるのではないか、と落ち込んでる人にとっては、これは大事な話よね。

青山　極端な話、面接では適当に話を合わせて盛り上げられる人が選ばれるということです。1時間くらいの話で、内面まで分かるわけがないですよね。そもそも、企業側の面担当者が立派な人というわけでもないですし。

西原　社長の考える「人に好かれる人」は、どういう人なの？

青山　人に好かれる人の要素を分析すると、例えば以下の5つが、あげられると思います。

①話が面白い
②頭が良い
③見た目が良い
④性格が良い
⑤運動ができる

青山浩の朝は早い
(銀行員の時のくせ)
ぱっ
(ちなみに銀行はカブで集金するのがやで3年でやめる)
そして心を清め
祈る
晴れますように晴れますように
ワシの太陽光パネルだワシだけの電気が
景気良くばんばか発電しますように今日も晴れまくって電気の金が梅雨とか死ねコラ
祈りまくる
青山社長相変わらず忙しいねえ
うっかり太陽光に15億もぶっ込んじゃって
気がついたらもう祈るしかなくなってってね
はぁー
15億
一ヶ月天気良くて一千五百万の収入
10年後から大儲け
ぽむ
鉄郎
それアンドロメダより遠くて危ない

銀座の仲良しママ
最近の景気あいい客？そうねえ太陽光とかのあやしげな人達かしらねえ
だってー
だからもしなんかあった時に会社がパァ？
わしはオーナー様なので
格が上ですわ
青山浩の根拠のない自信は太陽の光のようマンセー
赤：正男にそっと献
そして
故郷住吉区に小肥羊新店舗
でーん
選挙落選
シッポ巻いて逃げるかわりに地元に貢献
ばっす
その地元住吉にですね私、青山、土地買いまくってでらかし家建ててましてねー
親孝行
♪とじまり用心火の用心♪
長き坂母を背おいし青山浩
♪一日一回よいことをニコニコニッコリ日曜日
親を大切に
一日一善
この銅像を小肥羊の各店頭に設置して
鍋界の笹川良一として君臨
火鍋を食べに来たお客様は私のこの孝行姿を見て感動た
打ち震えろや
わはははははは
よかろう
落選を打ち消すのに必死
したんたんた

西原　ほうほう。

青山　先生も恋人を選ぶときに、話がつまらなくて頭も悪いような人はイヤですよね。

西原　確かに！　社長は、講義で学生さんからの質問に、「物をくれる人」って答えていたわよね。

青山　よく記憶していますね（笑）。例えば、一緒にいて居心地のいい時間をくれるとか、欲しいプレゼントをくれる人とかを、恋人や友達に選びますよね。逆に、何でもいいからクレクレ、という人は嫌ですよね！

西原　仕事ができるというのは、「相手が望むものを最高のタイミングで渡すことができる人」と、いうことになるね。

青山　で、まとめますと、「若い人が職業を選択する場合に重要なこと」は、以下の3つかなと。

①「自分が働く目的」と「自分の人生の目的」を整理すること
②社会の基礎的な状況を把握すること
③学歴等の自分の武器を整理すること

このように、考える順番を自分の頭の中で整理して、シンプルに考えて、その上でいま選択すべき職業を、選択肢の中から選択することですね。

西原　なかなか難しいけどね。

青山　川の流れが、最後は海に行き着くことと同じように、人はそれぞれの人生を生きた後、皆同じく死を迎えることになります。人間は動物ですから自分が死ぬことを本能的に認識しないようになっているらしいですが、必ずいつか死ぬということを認識することが、本当に自分がしたいことをしているかどうかを確

認する意味でも非常に大切なように思います。

西原　無償の愛をくれるのは親だけ、というのは分かるよ。でも、無償の愛をくれない親もいるよね。

青山　少数かとは思いますが、放棄するケースはあると思います。無償の愛という点で、私が分かりやすい例え話をするのは、親の親と自分の関係です。

西原　祖父母と孫、ということね。

青山　ハイ。祖父母というのは、基本的に孫が可愛くてたまらないでしょう。親以上に可愛がるものです。孫の方は祖父母に会いに行くとき、基本的に会うのはウェルカムなんですが、大体ほかにも目的があります。

西原　分かる。分かる。お小遣いね。

青山　孫が祖父母に会いに行くときには、すでに相互の互恵関係を目的にしているわけです（笑）。

西原　人によって濃淡はあるでしょうが、私もお小遣いをくれない祖父母に会うのは、インセンティブが下がるかも。

青山　祖父母は会いに来てくれるからお小遣い上げる。親は会うとか会わないとか関係なく生活の面倒を見てくれると。

一親等離れるだけで、商売のような要素が出てくるわけですから、社会に出て会社に所属すると、もうこれは全力で会社と上司と同僚とお取引先、お客様にメリットをもたらさなければ、給料泥棒と言われるのは当たり前ですよね。

西原　なるほど。分かりやすい（笑）。

調子にのってカラダに負荷をかけ過ぎるのはダメです！

◆理想的な死に方のイメージとは?

西原　社長は何歳まで生きたいの？

青山　周囲に迷惑をかけずに健康に生きられるだけは、生きたいと思っています。

西原　それはすごいね。

青山　迷惑をかけず長生き、というのがポイントかと思います。人間は、老いることで昔できたことがどんどんできなくなりますので。

つまり、誰かに助けてもらうことになります。子どもは親の面倒をみてくれるかもしれませんが、子どもは自分の生活で精一杯のことも多いのです。また、親も子どもに面倒をかけたくないと考えるのが普通かと思います。

西原　介護問題ね。

青山　ハイ。その時には介護施設に入れるというのが、今もっともよく選択されていると思います。しかし、親の側としては、介護施設に入りたくない、という人が多いと思います。

西原　介護施設に入れる、病院に入院させる、などという形で、子どもは親の面倒を見るという責任を果たすのが一般的よね。

青山　しかし、私は介護施設に入らず、入院もせずに、死ぬまで自分勝手に適当に楽しく暮らして、時々でいいので子どもに会ってもらい、さくっと眠るように死を迎えたいと思っています。

病院へと見舞いに来てくれる親族に、無駄な時間を使ってもらいたくないですね。いざ入院したら、見舞いに来て欲しくなるのでしょうけど（笑）。

理想的な死に方を実現するためにも、運動して病気に負けない体を作っておくのが有効だと思って、運動を心がけています。

西原　人間は、必ず死ぬものね。

青山　若い頃の暴飲暴食や喫煙とかも、老後に響いて来ますよね。

西原　なるほど……耳が痛い。

青山　糖尿病に関して言うと、遺伝ではないタイプは、暴飲暴食と運動不足が原因でしょう。さらに糖尿病の人は、そうでない人より10年寿命が短いわけですから、コロナよりもはるかに怖い病気なわけです。

西原　糖尿病になると生活面の制約も多くて、本当に大変そうだものね。

青山　糖尿病の患者のケアにかかっている予算と患者のロスを考えると、コロナにかけた意識を糖尿病に向けていたら、どれだけ将来にとってプラスになったのか計り知れないですよ。

順調に見える経歴の人が必ずしも成功者ではではない

◆就職活動から銀行退職、起業失敗、再就職へ

西原　社長の場合は、灘中灘高東大法学部という学歴を武器に官僚になろうとして、試験に落ちて銀行に就職するわけでしょ？　初めての人生の挫折よね（笑）。官僚になって何がしたかったの？

青山　私が学生だった頃は、警察官僚になって、社会に貢献したいと思ってました。なぜ警察官僚かというと、学生ながら交通事故と暴力団は社会問題だ、という認識をもっていまして。

それが簡単にできるので、警察官僚になったら世のため人のために活躍することも、簡単そうだと思っていたのです。

西原　大胆な学生ね。それでどういう解決策なの？

青山　よくぞ聞いてくれました。ズバリ、交通事故の方は、「飲酒運転の厳罰化」です。暴力団の方は、「ネーミングを変える」ことです。

西原　おーシンプル。でも、誰でも考えつきそう!!

青山　でしょ？　簡単で誰でも考えつきそうなのに、誰もやっていないからいいのです。

西原　暴力団は、どんな名前に変えるの？

青山　迷惑団とか社会不適団とか……（笑）。極道などという言い方は、無しにする。

西原　確かに効果ありそうね。

青山　今でも「ある」と、思っています。

西原　飲酒運転の厳罰化は、福岡で起こった事故を契機にどんどん進んで、交通事故死はかなり減ったのでは？

青山　まさしくそのとおりです。昔は一万人を超えていた交通事故死が、今では４０００人を切るくらいまでに減っています。

交通事故死の減少は、この20年での警察の活動の中でも、最大の成果ではないでしょうか。

西原　そういう意味では、社長のアイデアは理にかなっていたのね。でも、社長がやらなくても結果は出ていると……。

青山　自分が入っていなくても、警察がやってくれたから、まあいいやとは思っております（笑）。

西原　もう一年勉強して、警察官僚を目指そうとは思わなかったの？　それほど正義感に燃えていた青年が（笑）。

青山　もう一年間、学生をするよりも、早く社会人になりたいという思いの方が強かったのです。まだ就活できるところがどこかにないかと探してみたら、「銀行」と「電力会社」で募集をしているところがあって、先に銀行を受けに行ってみました。その銀行の面接担当の方とたまたま相性が良かったので、入社させていただくことにしました。

西原　さすがに、ゴールドメダルの学歴は大きいね。立ち直りがすごく早いですね（笑）。

青山　もうその時には、「日本の金融は俺が仕切る」と、思っていましたからね（笑）。

西原　その切替の早さが、ビジネスで成功する秘訣なのかしらね。

青山　まずは、銀行員になって浅草橋の支店に配属になり、銀行員生活がスタートしました。

支店では簿記、財務諸表などを勉強し、会社経営に関する数字を読み解く方法、経営のノウハウなどを勉強しました。そして、早起きの習慣もこの時につきました。

西原　社長は本当に早起きで、よく働くものね（笑）。

青山　ところが、そこで出会った上司との相性が悪く、銀行のカルチャーも肌に合わなかったので、３年を区切りに退職して、東京大学時代の友人と起業しました（笑）。

西原　お、いよいよ起業をスタートさせたわけですね。それは成功したのですか?

青山　1年で、潰れました。

西原　えっ……?　そんなにあっさりと……潰れたの……(苦笑)。

青山　はい(笑)。これからはインターネットの時代が必ずくると思ったので、『なぜはらうドットコム』という接続料無料のネット会社を、英会話学校GABAの創業者と立ち上げました。まあ、目の付け所は良かったと思うのですが……。

西原　会社を潰した後は、どうしたの?

青山　それで、第二新卒として就職活動をすることになりましたが、思っていたよりもいろいろな就職先が見つかりまして。

西原　そんなにあっさりと?

青山　そんな折に、官庁訪問でお世話になった先輩に近況報告かねて挨拶にいったら、「昭栄」という会社に、敵対的TOB(株式公開買い付け)を日本で初めて仕掛けた「村上世彰《むらかみよしあき》」氏に会いに行けと言われまして。

私自身は、もうすでに新しく就職する先を決めていたのですが、興味本位で話を聞きに行くことにしました。

西原　それで意気投合したと?

青山　意気投合というか、話を聞き始めて30分位で、新しい価値観を世の中に浸透させるのだという話を聞き、極めて明快で正しいことだと思えたのですよ。
その場で「ここに入れてほしい」と、お願いしました。
ところが「ここは40歳前後で、ひと通りのことを経験してきた人間しか入れない」と、言われてしまい……。
「とりあえず無給でいいです。しばらく様子を見て給料決めてくれればいいですし、必ず村上さんにとっても得になります」と、説得して潜り込むことに成功しました。

西原　サラリーマンをやめて起業したのに、またサラリーマンなの？

青山　何をやっていいか分からないときは、人について行くのもいいものです（笑）。
ですので、私は、アニメ「千と千尋の神隠し」で、湯婆婆に「仕事をください」とお願いする千尋を見るたびに、最初に村上さんにあった時のことを思い出します。

西原　それは面白い（笑）。その会社で、「投資ノウハウ」や「ファンドの組成」などを学ばれたのですよね？

青山　しっかりと学びました。本当に、よく働きました（笑）。
その時までの人生で、一番努力をした時期でした。仕事が本当に面白かったのですよ。文字通り、寝食を忘れて働いていました。

西原　私も、漫画家として食べていけるかいけないかという時期が、一番努力したわね。
　でも社長は、またすぐに辞めちゃうのでしょ？

青山　いえいえ、すぐにではなく、村上さんの会社である「M＆Aコンサルティング」で3年間働いていた際に、進めていた案件でうまく行かないないものが発生して、そのケジメをつける意味もありました。改めて独立を決意し、２００２年に、『株式会社キャピタルギャラリー』を設立しました。
　そこでは、ファンドビジネスをはじめ、中国、モンゴルなどで海外ビジネスを手掛けました。

西原　なるほど、そこからか～。社長の大活躍が始まったのは。社長は１９７３年生まれだから、その当時は29才！　まさに知力、体力、気力がみなぎっている年齢よね。
　中国やモンゴルでは、何をしたの？

青山　中国では、２００３年から日本の美容整形外科グループと組んで深圳、上海を中心に富裕層をターゲットにして、日本式の審美歯科医院の経営を試みました。

西原　なんで審美歯科医院だったの？

青山　中国は２００１年12月に、ＷＴＯ（世界貿易機関）に加盟して、経済成長にさらに拍車がかかっていました。食生活が変化して、糖分摂取が増えていた時期でもあります。
　しかし、歯科診療体制はまだまだ不十分でしたから、日本式の「審美歯科」や「矯正歯科」は人気になるだろうと考えました。

西原　富裕層が生まれ、健康と美容にお金を使うマーケットが拡大すると。

青山　２００１年の当時ですと、中国の一人当たりのＧＤＰは、ようやく１０００ドルを超えたくらいでした。（当時は、日本の35分の一）
　しかし、年率10％を超える成長率が続いて、富裕層が着実に生まれていましたから。先行して市場開拓をしようと思いました。

西原　その事業は、どうなったの？

青山　撤退しました（笑）。

西原　えっ⁉

青山　２００４年から２００５年の2年弱の間に、

述べ500日ほど中国に滞在して立ち上げたのですが、中国内の医療に関するさまざまな規制が厳しかったのです。事業を拡大していくためには、地方政府に、いろいろと申請や調整をすることが必要で、とても面倒でした。

私自身が医師免許を取得していないということも大きかったのですが、需要の拡大スピードとコストのバランスが合わなかったのです。トータルでは損も得もしなかったという状況で、撤退することにしました。

しかも、従業員が100万元を盗んで逃亡するというおまけつきで……（苦笑）。

西原　何それ？

青山　銀行事務を任せていた従業員が、口座のお金を100万元ほど引き出して、行方をくらましたのです。

わざわざ「私を探さないで」的な電話までしてきて（笑）。

西原　それでどうしたの？

青山　当然、探しまくりました（笑）。警察や大使館にも行きました。現地警察は、外国人の財産を奪って逃亡するなんて許せないと、ものすごく捜査に力を入れてくれました。

西原　それで捕まったの？

青山　ハイ！　なんと、犯人の親族も全員が捜査対象になっていたので、電話を盗聴していたようでした。お陰で、現地から100キロ離れた都市に潜伏していたのは分かっていたと……。

その都市の漫画喫茶で、犯人が自分のIDでインターネットにログインしたところ、すぐに身柄確保となりました。その間、約2カ月でした。現金は、犯人のおじさんの畑の中に埋められていました。

西原　凄まじい!!

青山　この話には続きがあるのです。しばらくして、牢屋の犯人からスタッフに連絡がありました。面会をしに来てくれと言うので、そのスタッフが会いに行きました。すると、警官から折檻されたからか分かりませんが、あざだらけの顔をした彼から「確かに私はものすごく悪いことをした。反省しているし謝罪をしたい。しかし、お金を引き出した日までの月給を、日割りで払ってほしい」という言葉が。

西原　すごい、何それ？

青山　もう現地スタッフはビビってしまい、「払って上げた方がいいでしょうか」とも……。私も気押されましたが、「そういう理屈は成立するな」と思いつつも、「ここで払ったら負けだ」と思い、結局払いませんでした。

西原　なるほど、勝負したと……。でも、報復の可能性もありますよね。

青山　その時は、返り討ちにしますよ。

西原　自力救済する覚悟を決めて、払わなかったと。

青山　そういうことです。

西原　そのほかに、中国で体験した記憶に残る経験は？

青山　いろいろありますが、中国の高級マンションの購入権を買うために、その行列に並んだことがありました。
　値段は、当時5000万円位だったのですが、ものすごい行列で。

西原　並んだ⁉　1人で？

青山　ハイ。当時は5000万円を準備できるかできないかの懐具合だったのですが、中国の不動産市況が活況になることも予想できたので、とりあえず並んでみようと。

西原　その何でもやってみよう、精神はすばらしい。

青山　もの凄い行列だったのですが、その行列に並んでいる人たちが、どう見てもそんなにお金を持っているようには見えなかったので驚きました。

余計なお世話ですが、並んでる人に「給料いくらくらいなの」と聞いてみたら、「5万円」だと言うのですよね。

西原　いきなり知らない行列を一緒に並んでるだけの中国人に、そんなこと聞いたの？

青山　相手も、日本人でただ一人並んでる僕には、興味津々でしたからね（笑）。

西原　でっ？

青山　給料5万円で、このマンションが買えるのかと聞いたところ、「このマンションは上海で一番高級でこれから必ず値上がりする。それに自分の給料もこれから必ず上がる。だから大丈夫」だと。

西原　いい話ねえ。

青山　ちょっと感動してしまいました。

私としては日本のバブル崩壊のこともあり、中国の不動産についてもどうなるか分からないけど……という気持ちだったので。

西原　冷やかし半分だったわけね。

青山　ハイ（笑）。でも、もっとすごいことが起きたのですよ。

西原　何が起きたの？

青山　予約券の販売コーナーは、アクリル版一つで仕切られただけの簡単なコーナーだったんですが、行列がすご過ぎて、パチンコ屋の新装開店みたいな状態になっていたのですよ。

そこに横入りしてきたおじさんに、おばさんがいきなりグーで殴りかかって、互いにグーで殴り合う大喧嘩が発生しました。

西原　すごい修羅場ね。

青山　アニメ映画『天空の城ラピュタ』で、海賊一家と炭鉱労働者たちが殴り合うシーンがあるのですが、まさしくそういうイメージでした。

見ている人たちも止めないで、おばちゃん応援しておじさんの邪魔しているのですよね。

西原 やれ！　やれ！　と。

青山 その凄い熱気で、元気を無限にもらいましたよ。横入りしたおじさんは、おばさん以外からも何発もパンチをもらって、無事に……とは言えませんが、後ろに並ばされることになりました。

西原 で、社長はマンションを買ったの？

青山 予約権は購入したんですが、力不足で結局決済は見送りました。

西原 今は、どれくらいの売値なのかな？

青山 15年が経って、20倍くらいにはなっているようです。

西原 おばちゃんや一緒に並んでた人の勝ちね。

青山 大チャンスを逃しました（笑）。

惚れ込んだ中国の有名火鍋チェーンを日本で展開する決意！

◆火鍋チェーン『小肥羊《シャオフェイヤン》』を日本で展開するために！

西原　火鍋チェーン店を日本で経営するきっかけになったのは、中国に行っていたからでしょ？

青山　はい。中国に滞在している時に、火鍋チェーンの『小肥羊』が大好きになってしまい、ある時期には、火鍋を食べに行くために中国に行くと言っても過言でないくらい、食べに行っていました。

安くて、しかも健康によい「火鍋」という料理を、日本の人にも広く食べてもらえたらと思いつつ、自分が日本にいても大好きな小肥羊の火鍋を食べたい、という気持ちもありました。

また、「こんなにすばらしい料理が日本で人気にならないはずはない」と確信をもっていたので、日本で独占展開する権利を取得するために、中国小肥羊に弁護士事務所を通じてコンタクトを取りました。

西原　どうやって契約を締結するまでに至ったの？　かなり大変だったのでは？

青山　小肥羊は内モンゴルの包頭という町で生まれたお店なのですが、包頭まで行き、創業者の張社長とお会いしました。

率直に「ほかにも日本の商社を始めアプローチしてきてる会社がたくさんあるので、具体的にどういう条件でやりたいの？」と、聞かれました。

西原　話が早いわね。

青山　そこで私は「最初に出店する費用はすべてこちらで負担する。その上で一年間だけ経営して成功させられないようなら、フランチャイズを返上します」と言いました。

西原　先方にとっては、全く損がない話ね。

青山　こちらにもリスクはほとんどない、と考えていました。むしろ、機会損失だけがお互いのリスクなのだと……。「パートナー選定に時間かけるくらいなら、今すぐ決めて一年間経営をしたら、もう解決ですよね」的な。

西原　確かにその通りかも。選定に時間をかけるよりも、上手くいけば儲かるし、失敗してもノーリスクだし。で、どうなったの？

青山　張さんはその条件を聞いて、10秒くらい唸った後、大声で叫びました。

西原　なんて？

青山　私は意味が分からなかったのですが、通訳でついて来てもらった中国語のできる知人が、張さんが「決めた」と言っていると聞きました（笑）。

西原　すごいスピードね。ビジネスの成功には、スピード勝負のときがあるっていうことよね。

青山　そうなのです。

西原　そして、その晩は白酒の宴会が催されたと。

青山　よく分かりますね。まさしく中国式、それも北部の内モンゴル式の宴会に参加させていただきました。そして、その場で「日本のフランチャイズはこいつに任せる」と、明言されました。

西原　楽しい宴だったのね。お酒はどうだったの？

青山　それは、それは、すごい宴会でした（笑）。生涯で一番と言ってもいいくらいの酒を飲みましたよ。やってみて改めて分かったのですが、中国の人は、飲みっぷりで信用するかどうかを決める面がありますよね。

西原　よく言われるわね。

青山　お酒を大量に飲むのは、本当にきつかったです。しかし、本心から「この場にいる人に飲みっぷりを見せたい」という気概がないと、とてもできないことなのです。しかも、それを量でも見られる。

西原　なるほど……。ビジネスパートナーとして認めるには、アルコール度数の強い酒の飲みっぷりで、誠意と根性を確認するのね。野蛮かもしれないけれども、それくらいの意気とガッツがないとモンゴルでは生きていけない（笑）。で、社長はどれくらい飲んだの？

青山　最初は楽しく最高の羊を食べながら飲んでいたのですが、途中でまわりの雰囲気が段々怪しくというか……高揚してきて、楽器をもった一団が入って来たんです。

西原　楽団ってこと？　何をしたの？

青山　一気飲みコールの生演奏です（笑）。

西原　それは、それは……。

青山　私も察しが悪い方ではないので、「これは、あれか……。俺がのむのか……」と。

西原　覚悟を決めたわけね。どれくらい飲んだの？

青山　白酒《パイチュウ》という一気飲みで使うお酒って、アルコール度数が60度近くあるのですよ。それに一気に使う専用の盃が用意されまして……。コップではなく、中型のご飯茶碗くらいの大きさがあるのですよ。

西原　いざ持ってこられると、ホンマかいなと思うよね。

青山　しかも一個だけ。「俺だけかい！」みたいな。

西原　覚悟を決めて飲んだと！

青山　日本からわざわざ包頭までやってきて、宴会までやってもらって……。もう、日本人として根性を見せるしかないですよね。

西原　それでどうなったの？

青山　おもむろに酒が注がれて、私が改めて紹介をされた後、日本に進出する小肥羊の発展を祈って乾杯がされました。

楽団の音楽が始まり、サビのところで一気のようなメロディーになり、周りが「一気！　一気！」とコールを始めました。そのタイミングで一気飲み。

西原　一気ね（笑）。

青山　一気です。うえ〜っと思いながら、飲み干しました。周りは拍手するのですが、そこからが大変で……。

西原　どう大変なの？

青山　メロディーが繰り返しになるんですよ。やはり２回でも終わらず３回目に突入しました。むちゃくちゃキツいので、３回目で終わりかな……と。

西原　思う、思う。

青山　でも、3回目でも終わりませんでした（笑）。3回目が終わって繰り返しになったときには「もう誰か止めてくれぇ～」と思いながら、もう機械的にやってましたね。7杯も飲みました。

西原　7ハイ!!

青山　7杯飲んだ後で、ついに倒れ込んでしまいました。倒れ込んだ後、もう意識を失いかけていました。その後、両脇から屈強な男が登場して、両脇をがっしり抱きかかえてられて、トイレに連れていってくれたのですよね。

西原　向こうも、準備万端だったわけだ。

青山　抱えられながら、「なんだ……ここまで飲まなくても、もう倒れてよかったのか……」と思いながら、トイレに運ばれたのを覚えています。

西原　で、トイレですべて吐いた訳ね。

青山　下を向くまでもなく、強烈な身体の排出作用が働いていたようで、半分上を向きながら吐いたのを覚えています。

西原　若くて健康だったから、できたのね。

青山　しかし後日、全然別の機会に中国で、「小肥羊には中国全土、そしていろいろな国のFCオーナーがいるけど、日本のFCパートナーが決まった日の宴会で7杯も白酒を飲んだことは、翌日には小肥羊のスタッフ全員が知らされました」と言われました。

　その言葉を聞いたときは、飲んで良かったな～と思いました。

モンゴルでのカジノ経営の失敗から肌で感じたカントリーリスク

◆ウランバートルでの カジノ経営で学んだこと

青山　またちょうど同じ頃、「モンゴルでゲームカジノが大流行りしているので、それをやってみようよ」と、投資家から提案がありました。他の投資家さんにも声をかけて、「実際に作ってみよう」ということになりました。

西原　モンゴルでカジノやったの？

青山　首都のウランバートルで、２億円近くかけてすごくキレイな、ゲーム機のカジノ施設を作りました。

西原　それで、どうだったの？

青山　モンゴルという国は、人口２００万人位で、ウランバートルには１００万人以上がいるのですが、鉱物資源の開発で外資企業が進出していました。そのため、ウランバートルではいろいろと新しいお店ができている最中でした。実際、カジノもブームになっていたので、カジノ施設は大繁盛しました。
　ウランバートルは郊外に出ると、空の青と地の緑しかない風景が車で何時間も続きくような場所です。しかし、ウランバートルの繁華街入ると、人間の熱気と欲望が渦巻く、活気溢れる世界でしたよ。

西原　それで、カジノは、どれくらい儲かったの？

青山　なんと１ヵ月で、３千万円ほど儲かりました。

西原　すごい！　すごい利益率！

青山　２億円の投資で、月３０００万円の利益ですから、これは凄いと思いました。お客さんもキレイなカジノができて喜んでいましたし、「モンゴルで、これからいろいろなビジネスをやって行こう」という気合いが、かなり入りました。

西原　それは、楽しいやつよね。

青山　しかしながら、オープンして3ヵ月くらいが経過したところで大統領が替わり、カジノが合法から非合法になってしまったんです。

　関係者みんなで、どうしようかと相談したところ、「非合法になった以上は、すぐに辞めよう」となりまして……。

西原　闇カジノにはならなかったと。

青山　もちろんですよ（笑）。レストランに変えるという意見とか、いろいろあったのですが、きれいにすっぱりと撤退しようとなりました。

西原　それで、撤退はどういう具合？

青山　これがまた、いろいろドラマがありまして。

　閉店が決定した後に一部の従業員が強盗になってしまったのです。他の従業員が、顔面骨折の怪我を負わされた上に、３０００万円を取られてしまいました。

　営業していないのに警察が来て、その従業員が逮捕されたということがありました。

西原　本当にそんなことあるの？

青山　カントリーリスクということを、肌で体感しましたね。日本の価値観が全く通用しない弱肉強食、と言えば大袈裟かもしれませんが、とにかくエグいとしか言いようがありませんでした。

　しかも、従業員が逮捕された時には、私の携帯に警察を名乗る人物から電話があり、「従業員を逮捕している。釈放したければ10万ドル払えと」英語で言ってくるのですよね。

西原　それで、支払ったの？

青山　「英語ほとんど分からない」とだけ言って、ガチャと切りしました。

西原　東大に行っていたのに、英語が分からないとは!!

青山　分からないというより、そんな英語を分かりたくなかっただけですね。

西原　従業員を見殺しに（笑）。

青山　普通に考えてもおかしな話ですから、お金を支払わなくても釈放されると思っていました。

逆にお金を支払うことで、何度でもお金を支払うことになる、と考えたのです。

西原　詐欺のカモ名簿リストに、載ったらあかんと。

青山　まさしく！　予想通りその後、普通に釈放されましたよ。

西原　モンゴルは残念だったね。そのあとも経済成長続けているよね。

青山　今モンゴルに行ったら、全然変わっているのでしょうね。

西原　ほかには？

青山　ほかにもいろいろな投資案件や、事業立ち上げを手伝ったりして、そのいくつかがうまく行き出していた頃に、面白い案件に出会いました。

30代を過ごすことになる「株式会社ウェブクルー」の第三者割当増資を引き受け、社長になるという案件がやってきました。これを正式に引き受けることになります。

西原　次は、いよいよ私との出会いの場となった「株式会社ウェブクルー」の話ね！

私、青山浩 本日は このような場にお招き 頂き 汗顔の至りで ございます
本日は日本の中枢
青ちゃんが むずかしい 言葉 しゃべってる しかもあれ かしこまって
霞ケ関の ビルの 一室で
日本有数の大企業の 幹部の方達の勉強会
よろしく お願い いたします
ここで青山君を 語ってみろと 東大の先輩に 呼ばれちゃったの
みんな 東大 コワイ
ペこり
テーマは 次世代に 受け継ぐ
価値観について
青山社長を 仕事して 10年 初めて 聞いた 言葉
銀行 つとめて すぐやめ ちゃって ネット起業 失敗 しちゃって
くね くね
独立起業
モンゴルで 2億円で カジノを 開業
これが月に 三千万円の利益

ところが3ヶ月目で急に法律がかわりカジノ禁止閉店
わあわあ大変やあ
大変だあ
大変…
そしたら一瞬で従業員が強盗に変身
警察と大立ち回リ
モンゴル警察より私に電話があり
英語ペラペラ
お前の店の従業員をタイホした
ペラペラ
保釈金一千万円払え
I can not speak English
ぶっち
電話切って日本に帰っちゃいました
てへ
青ちゃんここウケ取る場じゃないみたいよ
中国で歯科を開業
開店
あっという間に部下が100万元盗んで逃亡
タイホされた部下が会いたいというので刑務所へ
会社から逃亡中も従業員だったんで有給にしてくれって
顔面ボコボコ
嫌
ここでやっと撤退という言葉を理解
ざわざわ
どんどん溺れてゆく者見つめるしかできない私
つづく

日本でIT企業の社長に就任してさらに独自の経験を詰む

◆30代の盛んな時期を株式会社ウェブクルーで！

西原　『株式会社ウェブクルー』は、さまざまなジャンルのサービスを比較するための検索サービスを行っている会社だけど、どういう経緯で社長を引き受けるという話になったの？

青山　ウェブクルーの当時の経営陣の方々とは、村上ファンドに勤めていた時からお付き合いがありました。まだ、ウェブクルーが上場していない時から知り合いだったのです。そんな経緯から、ウェブクルーが上場した後も株価はチェックしていました。その株を下がっては買い、下がっては買いと繰り返しているうちに、結構な量になっていたのです。それで、久しぶりにお会いして話を聞いてみようかと思い立ちました。

西原　インサイダー情報を取りに行ったとか!!（笑）

青山　違います（苦笑）。

西原　違うということにしときましょう……でっ？

青山　ウェブクルーはさまざまなサービスの比較サイトを運営している会社で、ヤフー等のメディアに広告費を払って集客して、対象サービスのクライアントに見込み顧客情報を売る、という代理店的なビジネスモデルです。

しかし、インターネット広告の代金が上がって、逆ザヤになっているという話を聞きました。

西原　代理店じゃなくて、下請けでしょ？

青山　表現を変えればそういう言い方もできます（苦笑）。

赤字になった原因が、ヤフー等からの仕入れ価格の高騰だったのです。それでネット事業については、赤字幅を削減できる範囲で行うことにしました。

まあ構造改革ですよね。

社長になるときに引き受けた株式による資本調達で、会社には50億円以上の現金があったので、それを運用して利益を出して、まず黒字化しようと考えました。

運営しているウェブサイトで得られる情報を、お客さんに提供するだけではなく、自社でも実際のサービスを運営するようにして、領域を拡げてトータル収支をプラスにしようと考えました。

西原　なるほど。将棋の盤面を9×9から、20×20にして、王将はどこまでも逃げられるようにすると。

青山　素晴らしい例えですね。

西原　で、どうしてネットの広告料金の値段が上がったの？

青山　それはですね。当時の広告業界が儲かり過ぎていたからなのです。

西原　どういうこと？　儲かり過ぎてたのに、さらに値上げできるとは？？？

青山　広告業界が儲かり過ぎていたというのは、テレビ広告、新聞、ラジオ等のすべての媒体の広告価格が高かったことと比較して、インターネット広告は相対的に安かったのです。それが徐々にテクノロジーの進展や、広告主様でもネット広告の効果検証をするようになって、状況理解が進みました。

西原　ほうほう。んん？「インターネット広告、安いやないか」と。

青山　ハイ、その通りです。クライアント様がインターネット広告への予算の配分比率を見直して、より多く配分するようになったのです。

西原　なるほど。で、ヤフーさんは値上げしますと。

青山　そういうことですね。そのため、我々も利益は減りましたが、テレビ業界は、もっとダメージを受けたのではないですかね？

西原　その流れで広告費全体が下がり、一定の水準まで戻ると。

青山　そういうことになりますね。

青山君日本の大企業社長の勉強会に呼ばれる
選ばれた男に
ついた私も
その2
ウェブクルー代表時代
いろいろありまして海外事業を撤退日本で社長に
人を育てる意義を体験させて頂きました
1、人を使えるスタッフに育てる
2、そしてスタッフリーダーへ
もちろんその間横領とかもされちゃって
でもめげないの♥
3、そして新規事業を立ち上げ成功に導く人材へ
びし
青ちゃんキマッター
ウェブクルー社でのその成功例としましては
保険見直し本舗
だって保険屋ってあんまり仕事してないでしょ
青ちゃん大手保険会社社長が目の前に座ってるよ
もらった名刺
もちろん私自身部下の起業には命を共にする覚悟で出資
ここらでやったらんかい
打率七割
失敗

どんとこないね
大企業社長
壁厚いね
青山さん質問
はい何なりとー
質疑応答キター
ココで東大法学部野良社長の力を
うちの子供とか含め、最近の若い人サね、数年ちょっと努力しただけでやたら転職したがる
しかも同じような所にしか行かない
転職業者にピンハネされるだけですよ
しかも本人達そんなに大きく稼ぐ気もない
はー
愚痴
ただのグチキター
どうする青山
はーーー
ボクもですなー
若い子の面接でいきなり言われるんですよー
あんまり働きたくないです
気持ちはわかるけど今、言う？
でしょー
ホンマですよ
わかりますわー
ぐちぐち
どくどく
青山技アリ
愚痴返し
大企業社長勉強会を一気に居酒屋に
お見事
つづく

西原　いろいろありながらも、上場企業の社長として仕事を始めて、とにもかくにも黒字化できたの？

青山　一年目から黒字にできました。調達した資金が潤沢だったお陰です。今から思えば偉そうに言う話ではないのですが、当時はいきがっていたような記憶があるような……ないような。

西原　若気のいたりね（笑）。

青山　インターネットは、最終的にはコンテンツ勝負です。最強のコンテンツを持っている所が、アクセスをどこよりも安く集め、広告費の負担を減らせるのです。コンテンツがしっかりしていれば、ほとんどの商売で優位性を発揮し競争優位性を確立することになります。

西原　なるほど。商品開発、製造、広告、物流、決済の流れで、広告費の負担が少ないとなると強いよね。

青山　現在社会では、ほとんどの商品で、商品開発や製造のプロセスでは差がつかなくなっています。その部分で大きなウエイトを占めるのが、人件費です。

西原　そうよね。人件費で差をつけるのも難しいよね。

◆差別化をどう作るのか？

青山　高度な技術で製造されていた商品も時代と共に標準化されて、皆同じことができるようになり、付加価値はどんどん失われていきます。

日本の白物家電が、世界市場のシェアを韓国等にほとんど同じ技術で安い人件費で奪われていったのは、分かりやすい例だと思います。

岩井克人先生（東京大学名誉教授）も、工業中心の資本主義システムが発達してグローバル化が進むのは、企業が低製造コストを求めて活動しているからだと喝破しておられます。

ポスト工業化の時代になると、企業は差異性を意図的に作り出すことをしないといけないとも言っておられます。競争が次のステージに入るということでしょうね。

物流部分については、規模が大きくなればなるほど効率化されて行きます。

西原　アマゾンか！

青山　まさしくその通りですね。誰もが買う商品をたくさん保管しているという強みがあり、「**アマゾン**」の発送する仕組みとサイトの集客力、言い換えればコンテンツ力。この方法で、他のeコマースサイトよりも優位性を確立しています。

日本では、「**楽天**」が決済の仕組みも含めて戦っています。携帯にも参入して、さらなる集客を図っていますよね。携帯事業自体は赤字のようですが、楽天の三木谷さんは、「アマゾンに勝たなければならない」という課題に、チャレンジしているのだと思います。

西原　携帯から何でもできちゃうので、携帯画面を押さえることは、コンテンツを持つのと同じくらい意味があるのね。

青山　インターネットが1990年頃に登場してから、インターネットでやり取りできる情報量は、テクノロジーの進化に伴い、どんどん大きくなってきました。

最初はメールだけでも驚きで、ネットの動画などはコマ送りでしたから。

西原　確かに……。メールは便利と思った、あの時代が懐かしいわ。

青山　インターネットが関与する業界は、テクノロジーの発展とともに拡大の一途をたどり、いろんな業界が再編されました。

西原　どんな風に？

青山　最初はメールを利用したサービスで、出会いサービスというものが現れました。

西原　ダイヤルQ2のように、男女の出会いの場を作るサービスでしょ？

青山　電話とポケベルで出会っていた人たちが、全員インターネットに乗り換えた。それが一番最初の分かりやすいスタートかと。

そこからeコマース市場が生まれてきて、動画サービス、音楽サービス、ゲームと、動画の音質や画質が飛躍的に向上して、また決済システムが整備されるとともに、あらゆる業界に革新をもたらせていきました。百貨店がeコマースに押されて店舗数が減ったり、レンタルビデオ屋がなくなったり。

西原　確かに。ネットはものすごく便利だから、商売の仕組みも変わるよね。

青山　ハイ。ネットだけで完結するサービスには、リアル店舗は必要ないですからね。しかし、どうしても人の手を介在する必要があるサービスもあります。

西原　例えばどんな？

青山　飲食業とかですかね。

西原　なるほど、デリバリーは出てきてるけど、店舗にいってその場でできたものを食べる方が美味しいし、店舗に行ってみんなでわいわいやりながら、食事するのは楽しいものね。

青山　そうですね。参入が簡単で情熱のある個人店舗には人件費で勝てないので、結果的にあんまり飲食は儲からないのですが、ある日突然インターネットのせいでつぶれる、ということは起きにくいですよね。

西原　でも、食べログとかの点数で大変なことになっちゃうんでしょ？

例の焼肉屋さんの訴訟で負けたように、ユーザーからの信頼は、今はかなり下がったのだっけ？

青山　そうですね。レビューサイトそのものも参入障壁が低いので、パワーブロガーとか新しい影響力を持った人が宣伝する行為には負けてしまいますよね。それが今は、インスタグラムやティックトックでしょうか。

西原　そういえば、本も売れなくなったのよね。

青山　インターネットでほとんどの情報が手に入るので、新聞やテレビ、出版業界も苦戦ですよね。

西原　確かに。本もこの20年で部数が10分の1に減ったわ。今は10万部売れたら大ベストセラーよ。

青山　この本も、10万部を目指しましょう‼

西原　よっしゃ（笑）。

青山　ちょっと自慢をさせてください（笑）。

西原　はい、はい、どうぞ（笑）。

青山　ウェブクルーは、私が関わるようになって8年後に、従業員１６００人（10倍）、売上高２００億円（６・７倍）、経常利益17億円の会社になりました！（ドヤ！）

西原　ハハハ、ものすごい成長率ですね！　どのようにして、そんなに会社が成長できたの？

青山　そうですねぇ〜。ライブドアショックとかいろいろあって、私も巻き込まれたり巻き込まれなかったりで、あっという間に約２年の時間が過ぎて

ウェブクルー社長
青山浩は
よっしゃ
地球を買うたるでえ
お金や
お金や
大儲けや
FX事業をコカし
やっぱり商いや
真面目に働いたらお金は裏切りまへんでえ～！
その通り額に汗て一から出直し
まっとうな商い
サイバラ水産もコカし
青山社長っ
もう…社長じゃ
ない
しゅっ
ウェブクルーの社長じゃなくなり
一度ものすごいあやしい会社社長のカバン持ちをしていたのを目撃
こうゆう時は知らんぷりしてあげるんだよ
それから青山浩は

何してたよ？
まーなんちゃかその
どぶどぶ
人の裏側ちゅうもんをたくさん見せて頂きましたな
けど人間、捨てる人もありゃあ拾う人もおる
ワシ今火鍋の小肥羊と
赤字のラーメン部門と
ありがたいありがたい
赤字の不動産事業まかしてもろうてて
やっぱしマイナスからのスタートで男をみがきまくって
ごくごくごく
それ沈没船に人柱用に乗せられただけ
はやく逃げないと怖い人に沈められるでー
何言ってますのん、西原さん
この青山の後ろに大きな海が見えまへんか？
外食産業という
大海が
やりますでワシ
ざぶざぶ
ぱーん
海賊王
外食王に俺はなる
青山浩の太腕繁盛記
いやまだルフィもなってないし
おわりのはじまり

いきました。
3年くらい経って、徐々に黒字額は増えて行き、実際に西原先生とお会いすることになったFX事業も含めて、いろいろな企画を進めていました。その過程の中で、個々の従業員を育てて、一人一人が自立自存して高い収入を得られるようになるべきではないか、と考えるようになりました。

西原 どうしてそんな立派な考え方をするようになったの？ 50億円使って2億円の赤字を黒字にしただけで息まいていた青年が？

青山 私の価値観が、変わってきていたのだと思うのですよね。

西原 というと？

青山 私の場合は大学を出て、最初は警察官になって社会のために仕事を頑張ろうと思っていたのですが、銀行員になった頃に「とりあえず金を稼ぐか」という考えに変化していたと思います。

西原 なるほど。それは分かる、分かる。

青山 そこからお金を儲ける面白さを優先して仕事をしていたのですが、ウェブクルーで時々従業員の成長を目にする機会があって、そっちの面白さに気がついたのだと思うのですよね。
自分で稼ぐより、人に稼ぎ方を教えて、それができるようになった時の方がハッピーだと。

西原 余裕ができて、公務員魂に再び火が火がついた、という感じか……。

青山 合っているような、いないような（笑）。
具体的に言うと、当時インターネット業界では、こちらの指示を正確に理解して、問題なく課題を処理できるような、「使えるスタッフ」はだいたい年収600万円くらいの収入を得ていました。
そのスタッフを束ねるリーダーになると、「人を使える」というスキルがさらにありますので、だいたい年収800万円くらいになります。
さらに、「新規事業を立ち上げ、成功に導く人材」となると、30才前後でも年収1200万円くらいの収入を得ていました。

西原 そんなに？

青山 勘違いしがちなのですが、成長産業で働くと仕事が仕事を呼び、仕事が人を育て、新たに仕事を生んでいくんですよねぇ。

西原　確かに。売り上げが落ちている会社では社員は新しい刺激的な経験もできなくて、その考え方が保守的になって、どんどんダメになってしまう気がする。

青山　私は大学の講義の中で、世の中に必要とされる商品を扱っていれば、仕事は何を選んでも一緒だと言いましたが、必要度が下がってやがてなくなる商品を扱っている会社にいる場合は、全く話が異なりますので、そのような場合は、すぐに会社を辞めることをお勧めします。

西原　具体的にどういうこと？

青山　社会的な必要性がなくなってるのに、組織は存在し続けようとするために、周囲に迷惑をかける形になってしまいます。そのような場合、そこに留まっていることは、人生の無駄ではないかと思います。

西原　それぞれの生活があって、転職したくてもできない人もいるだろうし、いい就職先が見つかるかどうかが、大きなリスクになるのじゃない？

青山　ですから、昔は35歳までと言われていましたが、養うべき家族がいなければ、納得いくまでガンガン転職をしていくのはありだと思います。

西原　どこで何をしていくにも、「明確な目標と絶え間ない努力」が必要よね。そして成果が出なければ、また新しい場所で新しい挑戦を勝つ、までやるということね。

青山　会社も生き物なので、新規事業を立ち上げる人材が自然に生まれる会社になれば、後進を育てるカルチャーが備わっているということになります。その結果、会社の成長が続くことになります。

西原　人を育てるということが、結果的に、会社を大きくするということになるのね（感心）。

青山　従業員一人一人が自立自存して、会社に頼る必要のない人材になることを目指すが必要で、経営者は、そのような従業員を育てることが肝要です。

(株)ウエブクルー代表 青山浩 その輝かしい歴史
今日も小ぶりな金正男似のチャーミングな笑顔で社内をのしのし。
ITであるというワクにとらわれず、魚屋、八百屋、鍋屋
そして近年、タイに進出、コールセンター等に留まらず ついにはラーメン屋まで
あ
そしてとあるタイランドの大安吉日(たぶん)
青山浩タイ国王より
今までの業績を認められ
文武官三千人が見守る中、
勲章と盾を頂く。
これでワシはもう
ゴゴゴゴ
波員《ウエブクルー》連合艦隊司令長官
青山本五十六浩
正三位
大勲位
(存命)
↑細かい
まいったな IT社長だったのに
これじゃコーエー《Koei》の主演人物みたいじゃないか
くっくっくっ

	10月	2月	3月
西原	55.2	57	56.3
体脂肪率	38.2	29.7	27.5
青山	90.4	90.5	90
あぶら率	38.1	28.5	28.3
もとみん		70.1	71.1
あぶら		34.1	34.6
しげぴー	68.5	68.9	68.7
油	19	16.8	16.3

会社はいつか潰れる。会社がなくなっても呼ばれる人材に

◆会社の平均寿命は意外と短い！

西原　社長が素敵にキラキラ輝いて、見えてきましたよ～（笑）。

青山　本当に、会社はいつか必ず潰れます。だからこそ、会社がなくても必要だと感じられる人材に、なっていくことが大事です。

　例えば、東京商工リサーチが２０２２年２月に公表したデータでは、会社の寿命は23・9年ということです。これは２０２１年に倒産した企業のうち、起業年が分かる５１２１社の平均経営年数を調べたものです。

　また、帝国データバンクのＨＰにある日本企業のトリビアによると、企業の平均年齢は37・48才で、１００年以上続いた企業は、全体の２％だと発表しています。

　ただ、中には補助金利用や金融機関からのつなぎ融資によって存続している、「半ば死にかけのゾンビ企業」も含まれている可能性があります。実際には、もう少し短いかもしれません。

西原　じゃあ、定年まで安泰な企業って、ほとんどないってこと？

青山　はい。潰れる企業、吸収や合併される企業も含めると、数十年も続く企業はほとんどない、と考えていいかもしれませんね。

　個人が、この厳しい社会を生き抜くためには、「潰れても引く手あまたの人材になる」か「働かなくても生きていける資産、貨幣換算で、だいたい最低１億円くらいを貯めておく」必要があると思います。

西原　青山社長は、時代を先取りしていたのかもしれない。公務員の国家Ⅰ種試験に落ちたのも、天命かも（笑）。

青山　「盡人事待天命
　人間万事塞翁之馬
　人間到処有青山」（色紙より）
「人事を尽くして天命を待つ。人間万事塞翁が馬。人間到る処に青き山あり」と思って、日々過ごしてきました。

西原　何それ！　名字の青山をちゃっかり入れているのが、大阪人・青山ぽん太らしいわ（笑）。でも、実業家で成功している人は、みんな精神的にタフで、明るいものね。

青山　精神的にタフというか、自分の肌感覚や理屈を素直に信じて、失敗したらなぜ理屈と違ってしまったのかを検証し、致命傷を負わずに生き延びていくうちに、何でも平気になるのだと思います。

西原　社長も、思えば「FX事業」から始まっていくつもの事業に失敗しているものね。失敗の顛末は、『西原理恵子の太腕繁盛記　FXでガチンコ勝負！編』（新潮文庫）を読んでください！
　インターネットで魚を売るまっとうな商売「サイバラ水産」も失敗して、「ラーメン事業」はまあまあだったけど……。でも、お昼のランチタイムにラーメンを提供するスピードに難があって、結局、こけて……（笑）。

青山　ラーメンは、味は最高でしたが、お店が夜の集客を取りにくい場所にあったので、昼の回転だけで勝負しなければならなくなりました。
ただ、商品を提供する時間が他店の倍以上かかるので、お客さんの回転数を上げられずに撤退することになってしまいました。美味しければいいという過信が生んだ失敗でした。

西原　自分の中で検証できているね!!
そういえば、2012年には、タイで「インターネット事業」「コールセンター」「レストラン事業」を展開して、タイ国の雇用拡大と日タイ両国の交流に貢献した功績を、讃えられて表彰されたっけ。
タイ外務省の推薦で、当時のワチラーロンコーン皇太子（現在は国王）から、『タイ王国勲五等王冠褒賞』を受賞したものね。これはスゴい！

青山　タイはいいところでした。まあ、ビジネスは、上手くいくときもあれば、いかないときもありますから……。
若い人たちには、**失敗上等**の気持ちで、積極的にチャレンジしてもらいたいです。失敗しても、それを損切りして、次の機会に活かすという強い意志と根性があれば、30歳代までは何とかなるでしょう。
大企業に勤めても、その企業がいつまで正常に存

その日の青山浩の顔は違っていた
サイバラセンセ
ふっ
人生はいろいろありますが
私決めました
これからは人を育てる
人材無くして明日の日本はなし!!
スバラシー万歳青山
これぞ漢ナリー
やっと選挙とか出馬とか諦めたもよう
パチパチ
パチ
当社全国チェーン火鍋小肥羊は安定の時期に入り
コレ100パーワシの実力ね
これからもヤクシンするでしょうが
ここからはっ
おつきあい
ぶんぶん
多少の失敗があろうとも後進の者にまかせる事が次の人材を育てる
自分で言うそ自分にホレるわ
ワシ レモン
えー次の社長誰?
ねー誰?誰を社長にするのー
さては鍋社長あきたな
えーと
それはその一
あれ?いないい?
青山浩今まで人を育ててない

しかしながら私の艱難辛苦の実業家人生
その経験での人を見る目がっ
おおスバラシーどんな御苦労がっ?
あれ?
もしかしてボクってホップステップジャンプの
ちょーお花畑人生送ってない?
社長
銀行員
東大エリート
しいて言えば私の愛くるしさがたくさんの人の手を差し伸ばさせた原因かと
たしかに見た目着ぐるみ感満点
そしてこれからの事業の話をしましょう
ねー小肥羊の社長は!
あの地は訪れる人、全てが幸せになれる所だと確信しております
青山浩始動
沖縄ハワイ化計画
みんな待っててね♥
しだただ
ゴーヤ

続できるのかは、まったく予想がつきません。我々が就職活動をしていた頃の花形企業は、今やほとんど人気がありません。人気があるのはインターネット関連企業という状況です。隔世の感がありますね。
しかし、すでに人気が集中している企業は競争過多です。そこに入社することが美味しいかどうかは別物。皆さん、よく考えましょう。
美味しくなかったとしても、そこを辞めてやりがいのある会社に出会うまで転職すればいいとは思っています。ヘタな鉄砲ではないですが、自分なりに考えて転職し、失敗と成功を検証していけば、必ず満足のいく職場にたどり着けるでしょう。

他人に自分の人生を委ねるのではなく、自分の力で自分の人生を創っていって欲しいと思います。まさに、自立自存の精神と実行が大事なのです！

西原　確かに……。私の考えとしても、みんなそうしていったらいいと思う。
さて、そんなこんなで社長は、楽しかったはずのウェブクルーを辞めて、その次は選挙に出馬ね。

青山　さて次は「公務員魂爆発炎上、木っ端微塵の巻」……ですね！

ああ……公務員魂爆発炎上木っ端微塵の巻

◆上場企業の社長の座を捨てて選挙へ……再び公務員を目指す！

西原　上場企業のウェブクルーの社長の座を捨てて、選挙に出馬したのは、どういう心境の変化だったの？

青山　すでにお話しましたが、私の価値感として、公務員を目指していた頃は、仕事を重視していました。銀行員となってからは「金」、独立してから引き続き、より「金」重視していました。そして、ある程度ゆとりができてきたら「従業員の育成」というように変化してきたのですが、育成対象を従業員という枠から拡げてみようと思ったのです。ちょっと格好良過ぎる言い方になかもしれませんが（笑）。

西原　なるほど。一般の人は価値観がそんなに揺らがないけど、社長は変化し過ぎなのかもね。

青山　たしかに！　これも前述した社会人になる意味とその後、という話を思い出していただければと思うのですが、人は親に育ててもらうことで無償の愛を受け、勉強して社会人になり、仕事を始めることで親から独立しますよね。

西原　親から塾代や生活のサポートをしてもらった結果、学歴を獲得して、できる範囲でいわゆる「いい会社」に就職するという話ね。

青山　全部だとは言いませんが、大体の親は自分が死んだ後に一番気がかりなのは、子どもの行く末だと思います。

なので、子どもの人生が自分のように、あるいは自分よりもっと幸せで充実したものになることを願い、自分が我慢して働いたお金で子どもに教育します。そして、子どもがより多くの選択肢をもてるようにするのだと思います。

西原センセミニでっせー
さて本日は長時間炊き出した豚骨スープに香ばしくローストした「魚のアラ」を豪快に加えた濃厚ラーメン
あらとん
新宿御苑店にて
はじめましていらっしゃいませ
あらとんで働いてまーす。
当社フレッシュ一年生もろいずみちゃんを
説教
ええか仕事ちゅうもんはなあ
くちゃくちゃぐちゃぐちゃ
はいっわかりましたっはいっ
それをラーメン食べながら取材する日。
ずっぴー
人間何事も辛抱やでえー
ガマンが一番大切や
そのとおりだと思います
青山浩は東大出て入社した大手銀行を三年もたずに辞めている
どの口が
ずっぱー
ラーメンちゅうのはオレの人生なんや
どん
はいっ
ワシがどんだけこのあらとんという店を愛しているか
お並びの方すいませんまず食券を買って下さい
わかってます私も愛してます
本当に店のこと考えとんならランチタイムに店内で説教すんなや
客も店も迷惑してるぞ社長
でお味は
さらにおいしく
もろちゃんダシとりメチャ上手
やっぱあらとん醤油最高!!
ぐっ

で青山社長何でそんな王様みたいなカッコしてんの？
次は濃厚つけめんいこうっと
あれえっ
きわめてフツーの服装を心がけているのにわかっちゃうの？にじみ出ちゃうのかな
実は私
ふぅ
タイで王様に勲章いただきまして
もうホントマジで
私がやんごとないワケですよ
ここでタイ王様に何があってもお返しをしなければと男青山命をかけて
あ
ぱ
タイあらとんカオサン店に続きトンロー店開店
コップンカーラーメンカー
あらとん
どーん
最初は赤字続き悩む社長青山
退くのかオレ行くのかオレ
店のメニューに少しのバラエティーを加えて逆転大繁盛
サシミ
卵やき
焼き鳥
サバ塩焼
カレーライス
冷やっこ
…のラーメン
焼酎飲み放
まぎれもない撤退だ
ただの日本居酒屋になっとるやんけ
というワケで勲章社長が経営するタイあらとん
来月からあらとん新人のもろいずみちゃんが行きます
はいがんばりますっ
もろいずみちゃん頑張って元焼き鳥焼いてなっ
はいがんばります
ラーメン
タイあらとんぜひ
日本人居住区スクムビットからすぐ
ココ
※メルカトル図法

西原　そのとおりだと思うわ。そうでない親もたまにいるけどね。

青山　そんな境遇に育つ人には過酷な言い方になりますが、条件が悪いだけだと覚悟を決めて、より多くの努力をするしかないでしょう。

西原　残酷だけど、世の中は弱肉強食だからね。

青山　はい。たとえそうだとしても、日本に生まれたというだけで、世界の他の国に生まれるよりも、はるかにラッキーだと思います。

２０００年代の初め頃は、私は結構、中国におりましたが、過酷な条件の中で明るく前向きに努力している数多くの人たちと、いろいろな場所で出会いました。

西原　そうよね。日本に比べて中国には、はるかに条件の悪いところがたくさんあるわよね。

青山　はい。そんな条件が悪い中国で努力している人の、かなりの多くの人々は、結果として報われていると思います。

生まれた場所、働く場所の条件の良し悪しはさておき、基本的にまずは自分の生活費を稼ぐことになります。

西原　最初の第一歩ね。

青山　はい。親から独立しても食べていけるということが第一歩になります。そうして仕事を覚え、会社を通じて世の中に貢献できる量が増えると、もらえるお給料も増えます。

西原　増える増える。

青山　結果として増えたお給料で、次は家族を養うことになります。子どもができれば自分たちの親が自分にしてくれたように、子どもに教育をほどこし、生活費を仕事して稼ぐ段階ですね。

西原　おまけに税金までとられて（笑）。

青山　はい。憲法に定める勤労、納税、教育の国民の義務を履行することになります。

西原　次は？

青山　さらにやる気がある人は、赤の他人を養うことにチャレンジします。

西原　愛人とか？　婚外子？

青山　ちょっと先生（笑）。まあ、それはそれでありなんですが、社会貢献ですね。具体的には他人の育成や研究です。

私の中では「政治家」や「学者」がこれに当たります。

「公務員」は、立場が保証された、公的利益を目的として働く人です。

「政治家」は選挙で落ちればおしまいなので、よりリスキーな公的利益への奉仕者です。

「学者」は世の中の利便性向上のための科学技術や学問の研究に身をささげます。こう言えば分かりやすいでしょうか……。

西原　今の政治家は、ほとんど別物だけどね。

青山　それはさておき、明治時代の親が子どもに期待していた言葉に「末は博士か大臣か」というものがあります。これが、非常によく分かりやすい実例だと思います。

西原　本当、そのとおりね。

青山　時代の価値観も表してますよね。昔は、「武士は食わねど高楊枝」など、金なんかより仕事に矜持をもって責任を負い、責任を果たすことを重視しています。さらに、失敗したら責任をとる、というのがプロフェッショナルでしょう。

西原　今はプロでもない上に、金、金、金ね。

青山　そういう傾向はありますよね。社会全体の問

ちたちた ちたた
ぺこ
りん
このたび私 青山浩
生まれ故郷大阪住吉区より
大阪府議会議員として
立候補いたします
青山浩
商都創生
もうけよう大阪
青山社長
この選挙
絶対当確
そうでっか
やっぱりワシの大阪愛がっ
名前
青山ひろし
犬でいうと「ポチ」並の単純名の上に「あいうえお」順のトップ
まさにアリさんマークのひっこしセンター名

そしてこの年寄り子供にウケる
ぱっ
ぱっ
ぬいぐるみフェイス
経営する小肥羊で味見と称して
おいしいでっせ小肥羊
お客さま連れ半額
ガツガツ
毎晩食べてるチャーハン唐揚げセットで出来た
このワガママボディ
ガチムチだよ
さあホモのちボクの胸にとび込んで
むっち
むっち
ちなみにボディ以外に学歴も立派灘高、東大法学部卒
いやーなんかお勉強は得意でおました
こんだけ立派な学歴なのに何の資格も持ってません飲食店経営です
せめて教員免許くらい取っとけよ
大阪を日本一景気のええ台所に
どあああああ
ようは官僚になりそこないの鍋屋の大将ですが住吉の皆様大阪の皆様よろしくお願いしますっ

題だと思います。

西原　そして、社長は再度、公務員魂に火がついて、さらに公務員はすっ飛ばして上位レイヤーの政治家になろうとしたと、そういうことね。

青山　ウェブクルーで、人材を育成することにやりがいを感じましたからね。さらに社員と上司という関係を超えて、より難易度の高い「有権者」をお客様として満足させたいなと、思うようになったということです。

西原　なるほど。上司と部下には金銭関係があるから、部下は上司に従わざるを得ない面はあるよね。でも、有権者との関係には金銭関係などなく、公約を聞いてもらって、選挙の投票で選んでもらうだけだからね。

青山　まさしくそういうことでございます。

西原　退職して選挙に出るまでは、何をしていたの？　沖縄の山も見に行ったよね。

青山　ウェブクルーを退職した後は、保有していたウェブクルー株式を売却したお金で独立する部下を資金面で支援をしたり、かねてより注目していた沖縄への投資をしてました。さらに、ウェブクルーから火鍋チェーンの「小肥羊」事業を買い取って、経営をしていました。

西原　沖縄は、山以外にどんな投資を？

青山　ちょうど沖縄に嫁に行く先生を知っている部下に、「なんかやったらどう？」と話をしたところ、レンタカー屋さんを始めまして……。

コロナの最中は、大変で泣き叫んでましたけど、今は結構順調に行ってます。また、選挙のときに知り合って、そのあと部下になった青年が、ホテル向けの人材派遣業をやって、うまく行っています。

西原　器を変えてもベクトルは変えずに、人に投資し、自分の興味ある分野と場所に投資をしながら、失敗したり成功したりして、選挙に出るまでの期間を過ごしていたわけね。

青山　ハイ。故・後藤新平氏が残した名言、「金を残して死ぬのは下だ、仕事を残して死ぬのは中だ、人を残して死ぬのは上だ」を意識しながら、金はともかく人と仕事を残せたらいいのかな、と強く考えるようになりました。

※後藤新平（1857～1929年／台湾総督府民政長官、満鉄総裁、内務大臣、外務大臣、東京市長などを歴任）

このうううわあたあくしいいいい
あっおっやっまっ青山ひろしがあああああん
日本を
青山浩IT社長にして大阪住吉区議会議員選出馬
豪栄道を横に天下の谷町演説
わあああああああああ
パチ パチ パチ パチ
変えるううう
ベベベリリリ
ベリリ
あんときの
いやーすごかったホント
青山浩は光り輝いてたなー
青山浩
あー事務所の件やけどー机とイスの回収さ早うにせんと家賃がかかるわ
夏草や
兵どもが
夢の跡
それと引き取りの値段やけどねちょっと安すぎやないですかて
青山社長そうじのおばちゃんが腰痛いから休むそー
まっすぐな道でさみしい

青山浩
まーこっから
どうすると言われても
どーしようもないわなあ
落選
でもホラ次の選挙で必ずやみたいな
その気持ちは十分に燃えたぎっておりますが
半分はそれなんですが
もう半分は
もう半分は
もうとんずらしたい
ぽす
やっぱ東大エリートさんは弱いなあ
弱すぎやあー
すう
まあここは自然体で仕事しつつ頭と身体をきたえ
くわっ
自分を解放しつつすごしたいと思います
人間まず根をはってそれでこその生
びたーんす
この人物事に詰まると必ず自己啓発系に逃げるよな
というワケで青山浩漫画
IT社長か鍋とラーメンのおやじか議員か
ホホホどれもわたし
次回どうなるか謎

◆選挙の難しさを実感しました

西原　ほう、ほう（笑）。で、どんな流れで選挙に出ることになったの？

青山　一言で選挙に出ると言っても、全く具体的には分からないですよね。
　私の場合は、政治家の知り合いが全くいなかったので、議員の方を紹介していただくことから始めました。
　西原先生にも、高須先生が懇意にしている政治家の方がいらっしゃれば紹介してほしい、とお願いしたことは、ご記憶ありませんか？

西原　うろ覚えだけど、そういうお願いもされた気がするね。それを伝えたら、「政治家なんか付き合うもんじゃない。金ばかりとって何もできなくてもお詫びもしに来ない、ろくでもないヤツばかりだ」と言っていたと伝えたような記憶が……。

青山　よく覚えているではないですか（笑）。いろいろな人に声掛けをして、まずは「どこから出るの？」「政党は？」などと聞かれました。そこで、「出るなら大阪で、政党は与党、自民党はマストでしょ!!」くらいの感じで話していました。
　結果、大阪の衆議院の先生を、ご紹介いただくことになりました。

西原　ほうほう。具体的にどうなっていったの？

青山　ご紹介いただいた先生方の協力を得たお蔭で、話は順調に進んで行きました。そして、大阪の選挙区がいくつか空いていたこともあり、衆議院選挙がいいだろう、ということになりました。

西原　えらく順調じゃない！

青山　本当に、皆さんによくして頂いて……。しかし、選挙区は空いているときは空いているのですが、一旦取り合いが発生すると、ものすごい取り合いになるのですよね。

西原　取り合いに発展したの？　うまく先生方が調整してくれたはずなのに？

青山　ハイ。取り合いになりました。私の場合は、参議院の先生が、地元支部の先生の支援を得て衆議院にくら替えすることになりまして……。結果的に、私が身を引く形になりました。

西原　衆議院の先生がバックアップしても、簡単にはいかないんだ。

青山　相手にも支援者がいますからね（笑）。

　また選挙区においては、地元の意見が優先される側面があります。衆議院議員の選挙区は、県会議員の複数の選挙区によって支えられ、県会議員さんの選挙区は複数の市議会議員さんによって支えられている、という構造です。

西原　テレビとかで、よく地元の地方議員の先生と衆議院議員の先生が揉めている、などと言っていてもよく分からなかったけど、昔の国司と郡司のような関係なのね。基本的には国司が上だけど、郡司が地方の縄張りを仕切ってるというような。

青山　その通りだと思います。実際に地元で活動を助けてもらう代わりに、何をしてあげているかを明確にしなければなりません。

　何もしてくれないリーダーに、人はついて行かないですよね。互恵関係が成立してない中で要求だけが大きいと、人は離れてしまいます。

西原　それで衆議院ではなく、府議会議員選挙に出ることにしたのね。

青山　私の中では政治家という「職業ありき」でした。お客さんが国民になるか、府民になるか、市民になるか、の違いだけでしたから……。

西原　府議会議員に出馬するのは、スムーズにいったの？

青山　いやあ……。また、これがなかなか大変でした（苦笑）。先ほど申し上げた通り、府議会議員に出るために地元の自民党の支部にまず行くことになり、私の場合は、実家のある大阪市の住吉区という区の自民党支部の支部長さまを紹介してもらって、その方に会いに行くことになりました。

西原　その支部長に、ひどい扱いを受けたとか？

青山　いえいえ。たまたまですが、住吉区の支部長は多賀谷先生という方で、全く事情が分かっていない私に、懇切丁寧に一からいろいろなことを教えてくれました。

西原　ラッキーだったじゃない！

海外事業
ファンド事業
インターネット
そして企業家としてやってきまして
青山浩 その3
日本の大社長の前で語る
やっぱ今の世の中
貧乏くさい
そーだそーだ
そうだ選挙出よう
ドブ板もたくさんやりました
青山浩
政治は有権者を!!
ひいては国家を!!
自立自存にみちびく仕事
あちらに出馬
こちらに出馬
とにかく出馬
全部落選
何故日本のために人生も金も全て捧げるカクゴで
青山さん無駄な動きが多すぎますね
うおおおおお

政治家より その生き様を 皆さんに見て もらった方が よろしいのでは
やんわり
全否定
己を律し もう一時間 勉強し もう一時間 体を鍛え もう一時間 仕事をする
あ、それ 17世紀くらいの 企業家の考えですわー
青ちゃん 日本のトップから 退場フラグ めっちゃ出てる
ばっしゃ
ばっしゃ
ばしゃ
日本は世界に比べ 民族宗教の対立軸のない幸せな国家
退場
あともうひと演説
世界マーケットに通用する商品サービスの開発を
じゃあイーロン・マスクどう思いますか?
大社長連合相手にどう言うう東大法学
私わぁ どっちかとゆうと 地上戦かな♥
宇宙とかキョーミなくて
うまい
お水返し
西原的に言うと 本日一番の青山浩
そしてフィナーレ
引き続き 沖縄振興事業と投資活動をしていく方針でございます
パチ パチ パチ パチ
皆様からの今日のご縁を機にご指導ご助力頂ければ幸甚です
青ちゃん 立派でしたよー
ありがとーございます
やっぱ無駄な動き多い?
無駄無駄無無駄無無駄
ドドドド

青山　しかし、それがまた一筋縄ではいかなくて。

西原　何があったの？

青山　住吉区を国政選挙の選挙区にしている参議院の先生が、府議会議員に自民党から出ると、公明党との関係がまずくなるから辞めてほしいと。

西原　府議会議員選挙は、公明党とも争って議席をとる選挙だったのね。

青山　当時は、私もその辺が全く分かっていなくて、「そういう事情はお察し致しますが、私は出ます」と、突っ張り通すことにしました。

西原　おや、珍しく突っ張ったのね。

青山　選挙に出るくらいで、そんなにごちゃごちゃ言われても困るし、こっちはせっかく公務員目指しているのに、邪魔するなよ的な。

西原　それで？

青山　想像していたよりも、何倍もの大騒ぎになってしまいました。東京の党本部からも選挙に出ないでくれ、と連絡が来ました。どうしようかと思って、まじめに多賀谷先生に「府議会ダメなら私は市議でもいいんですけど」と言いました。

西原　それは……、多賀谷先生とも議席を争うと。

青山　そのときは、そういう認識も全くなかったんですけどね（笑）。

西原　ど素人だったのね……。

青山　その後いろいろあって、自民党の公認をなくせば出てもいい、ということになりました。
　公認候補から推薦候補に変更し、選挙に出ましたが、見事に落選しました。まあ、どちらにしても結果は同じだったと思いますが……。

西原　チーン！　私もイラストを、たくさん書いたのに〜。

青山　その節はありがとうございました。しかしながら、生まれ故郷に帰って、小学校の同級生やその親御さまたちに親切にしていただいて、本当にありがたいと感じました。
　さらに、この選挙を通して知己を得た関西大学の森本理事長には、その後もご指導いただき、関西大学の客員教授に推薦していただくほどになりました。

西原　転んでもただでは起きないね。関西大学の客員教授になるというイベントは、選挙に出たからこそ実現したのね。

青山　森本理事長はコロナでお亡くなりになってしまったのですが、それについては、後ほど語りたいと思います。

西原　選挙では、私もポスターを描いたけど、理念は何だっけ？

青山　「商都創生」「譲り合いの社会を」「自立自存」「健康増進」です。

西原　なるほど。一貫しているよね。自立自存して仕事して、余力を譲り合い、体も鍛えて健康にということね。

青山　そういうことになります。

西原　選挙出て落ちた後は、引き続き「沖縄」と「火鍋」と「後進の育成投資」をやっていたわけね。

それで、どういう流れで教授になったの？

青山　森本理事長に、「議員になって、政治によって政策を実施して人を育てようとするなら、大学で若い人に自分の信念や経験を伝えて教育することの方が手っ取りばやいで。学生は、これから社会に出る寸前やから、その数は少なくても効果はとてもデカい。青山さんなあ、わしはもう90歳になるけれど、あんたの言ってることには大賛成なんや。人生の課題も社会の課題も会社の課題も全部一緒なんや。それを分かりやすく、社会に出る寸前の学生に話したってくれや」と。

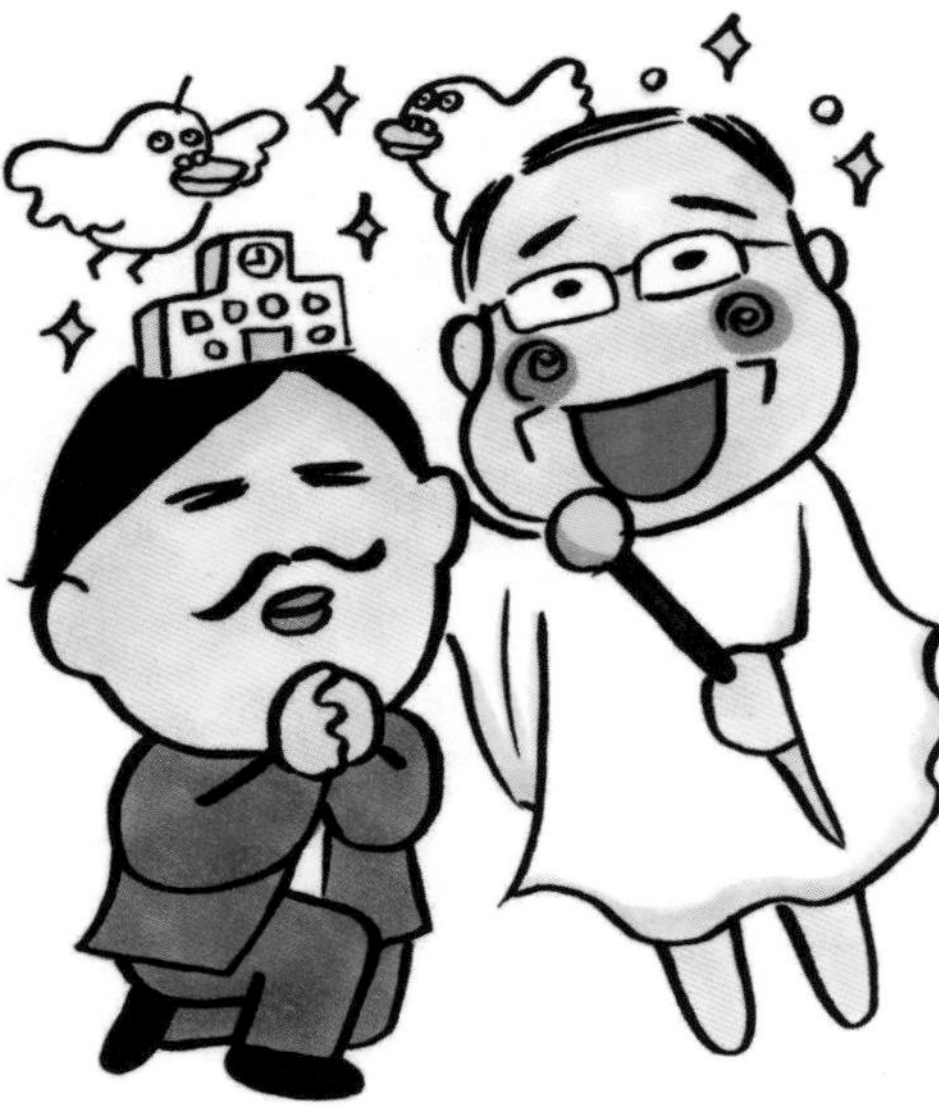

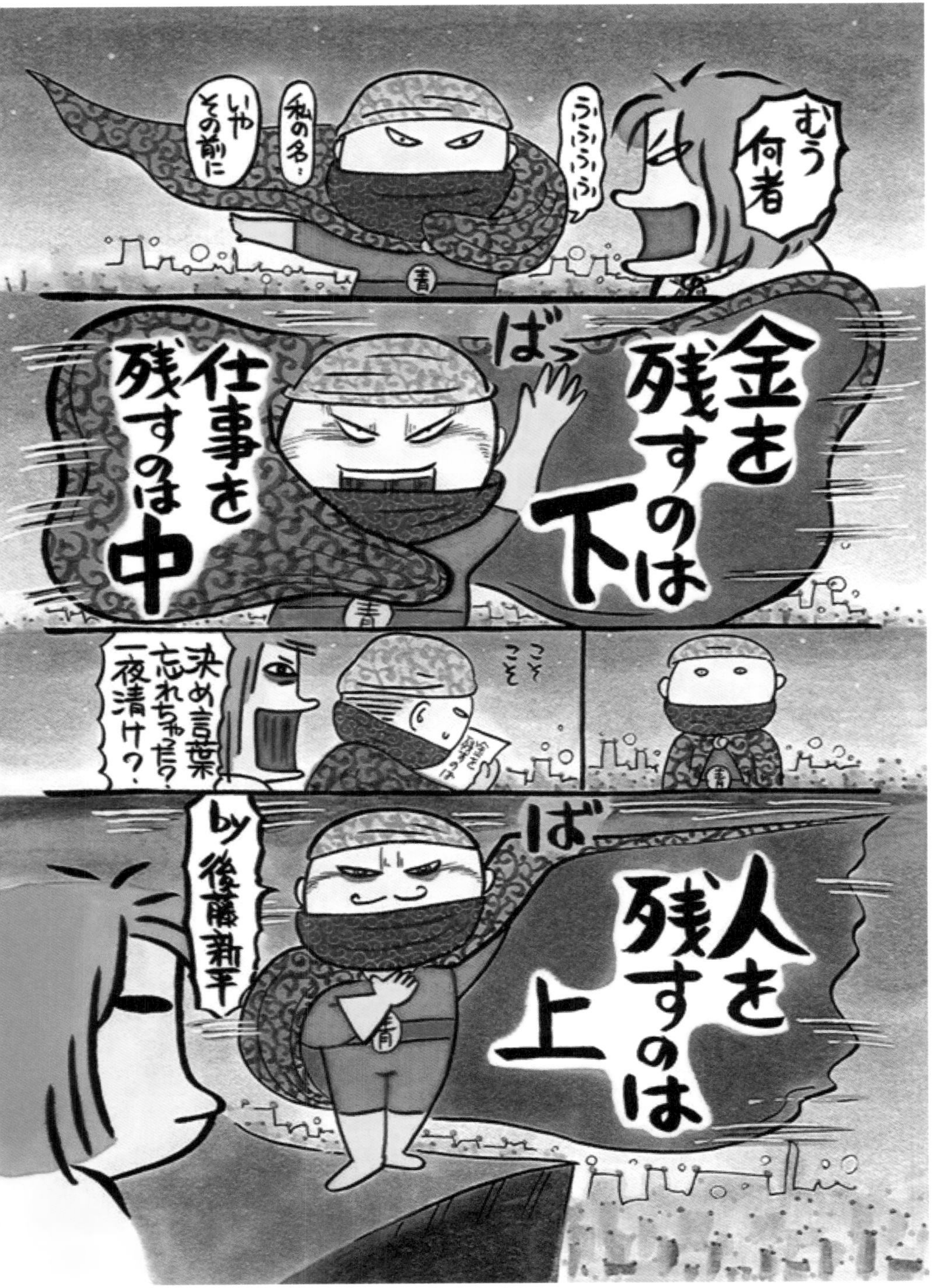

むう
何者
うふふふふふ
私の名…
いや
その前に
ばっ
金を
残すのは
下
仕事を
残すのは
中
こそ
こそ
金を
残すのは
決め言葉
忘れちゃったの？
一夜漬け？
ばっ
人を
残すのは
上
by 後藤新平

そして私の名は
風呂敷
ぽ
あっ
広げMAN
青山浩は金も仕事も人も残す
ばーうっ
沖縄、全ての人が幸せになれる楽園
3000億の思いやり予算なんか金利程度
元金の返済は青山浩がやりまっせー
ばびーーーん
べちべち
さすが風呂敷広げMAN大きいの広げたあー
本気でっせ
あなたは、それを目撃する——

森本さんは、アメリカの教育者であり牧師であったウィリアム・アーサー・ウォード（William Arthur Ward／1921年～1994年／男性）の、次の言葉が大好きでした。

「平凡な教師は話す。良い教師は説明をする。優れた教師は実際にやってみせる。偉大な教師はひらめきを与えやる気にさせる。（The mediocre teacher tells. The good teacher explains. The superior teacher demonstrates. The great teacher inspires.）」（ウィリアム・アーサー・ウォードの格言から）。

この言葉を朗々と暗唱しながら、「青山さん、大学で若い学生に教えて、学生にひらめきを与えてやる気にさせてや。Inspire！」と大きな声で叫ばれたのです。

それで関西大学の客員教授を拝命することになって、本当に真面目に講義内容を考えました。

西原　そんなエピソードがあったんだ。

社長は、ＩＴ、ベンチャー、飲食、土地開発と何でもやってきて、ホンマに多動だと思っていましたけれども、何でまた教育業界に進出するのかと思っていました。これで、やっと謎がとけました。

青山　学生さんに長時間話すのは初めてで、90分間しゃべりっぱなしというのも、もちろん初めての経験で喉はカラカラ、呼吸困難に陥りそうで、肺が痛かったです（笑）。

西原　ハハハ。初めてだと、緊張もするし、間合いの取り方とかも分からないものね……。

青山　景気も良くない、今ひとつぱっとしない日本をこれから支えて明るくしていくのは、若い人しかいないと思いました。そして、若い人に自分の経験と知識を少しでも伝えて、日本をぱーっと明るく、景気を良くしたいと、準備し、そして情熱を持って語りましたよ！（キッパリ）

西原　着ぐるみ癒やし系、インテリジェントマン、青山浩教授、誕生！（笑）

青山　さてこれまでは、私の社会人になってからの経験を振り返って、自分の価値観の変遷や時々について考えたことや行動の結果、どうだったかを振り返って来ました。

ここからは、日本社会や世界全体の現状分析と未来予測、それぞれについて示唆となる象徴的なトピックであるワクチン騒動とウクライナ戦争を取り上げて語りたいと思います。

みなさんの人生の繁盛に役立つように、いろいろ分析を進めて参ります。

青山浩と西原理恵子の

太腕繁盛記

超格差社会脱出！ 編

過去と現実を知り、未来へ！

成果を出せる豆知識と大切な思考！

未来に役立てる為に現状分析を行って整理してみよう

◆世の中の問題を分析して、未来に役立つ答えを探そう

西原　大学の講義では、学生の皆さんに「これから皆さんがデビューする社会は格差社会と言われている社会になるけど、そんなの気にしないで仕事をとにかく頑張って、努力と工夫の上に成果を積み上げていけば問題ない」と話していたわよね。

青山　覚えていただけており、同慶の至りです。格差社会は大きな問題ですが、そのような状況になった背景を含めて、現状分析をしてみたいと思います。

西原　原因があるから結果がある。結果である格差の発生について、ぜひ私も原因を知りたいわ。

青山　あくまでも私の個人的見解ですので、参考程度でお願いいします。

西原　なるほど、了解。

青山　前半では、私の人生のターニング・ポイントでの価値観の変遷についてお話してきましたが、日本社会においても、大多数の指向する価値観は、変遷してきていると思います。

西原　なるほど。戦前は「欲しがりません勝つまでは」なんて考えもあったくらいだからね。

青山　分かりやすい例をありがとうございます。第二次世界大戦の敗戦を迎え、日本人は価値観の逆転を経験します。ですから、現状分析を行うに際しては、その敗戦からがスタートかなと思います。

西原　第二次世界大戦は、社長はどういう戦争だったと思っているの？

よく侵略戦争だとか、植民地解放戦争だったとかいう論争があるようだけど。

青山　私は「侵略戦争」であり、「アジアを植民地から解放する戦争」であり、「エネルギー資源の獲得戦争」であり、「民主主義国家対専制主義国家との対決」と、多様多重の意味があったと思っています。

西原　答えが多すぎて、ズルくない？

青山　世界全体で、あらゆる階層が争ったので、あらゆる階層で被害者と加害者が生まれました。そのため、被害者であり加害者である人も、たくさん出たと思います。

　ある人にとっては、植民地アジアの解放戦争でした。またある人にとっては、侵略戦争でした。このように、世の中で意見対立がある論点については、どちらかが完全に正しいというような単純な話は、ほとんどないと思います。

　誰からも反論が出ないのは、「人は必ず死ぬ」ということくらいではないでしょうか？

西原　なるほど。

青山　結果を見れば、日本の敗戦後、アジアの植民地は、すべて独立していきます。

　中国では日本の敗戦後、国民党が共産党に敗れて共産主義国になり、一方で朝鮮半島では分断国家が生まれます。

　そして、世界は冷戦構造となり、共産主義国家と資本主義国家との対立構造となります。

西原　資本主義と共産主義って、対立構造なの？

青山　実は、私もそこはずっと疑問なんですよね。共産主義というシステムで統治してる国と、資本主義というか、民主主義というシステムで統治している国というだけの話だと思うのです。

　資本家と労働者が対立するのは分りますが、国という単位同士で対立する必要はないと思います。各階級で誰が仕切るのかという争いが、国家をまたいで対立軸になっていることは不思議です。

　現代では、国同士で争うことも時代遅れになりつつあり、冷戦終了後、未だに対立しているのは摩訶不思議です。

西原　もっと、深く考えてみる必要がありそうね。

青山　私は、「もはや国家という枠組みで世界の中で対立や協調をする必要性は、薄れてるんじゃないか」と思います。

西原　どういうこと？

青山　第二次世界大戦においては、植民地の拡張を争ったことが原因の一つだと思います。しかし、今や世界の地図上に、１９４０年代の頃と同じような植民地はありません。

西原　最近の争いの原因は、「民族」「宗教」「石油」よね。

青山　その通りだと思います。もう最近の戦争の原因は民族かお金です。

　昔もお金ではあったのですが、お金を奪う方法が今より酷かったので、搾取される側の搾取されっぷりも酷かったし、一旦戦争になると凄まじい殺戮が行われました。

　冷戦が終結した後は、世界で大規模戦争が起こる可能性は、すごく低くなったと思います。ウクライナ・ロシア戦争は、プーチンのセンスが時代遅れの帝国主義的なセンスであったために発生したものだと思います。この話は、後ほど改めて分析します。

青山　話を戻します。日本は敗戦によってそれまで神であった昭和天皇が、昨日まで敵の将軍であったマッカーサー元帥と一緒に写っている写真を見て、びっくり仰天しました。否が応にも、価値観の転換を迫られることになったのです。

西原　当時の人の驚きは、もはや想像もできないけれどね。

青山　それはそうですよね（笑）。

　世界は大戦の戦勝国であるアメリカとソ連の対立を基軸に冷戦がスタートしました。日本周辺では、その代理戦争とも呼べる朝鮮戦争が、朝鮮半島で勃

発しました。
これは日本の製造業に特需をもたらし、戦後産業の起爆剤となりました。

西原 常に大国の思惑で戦争が発生し、周囲はそれに振り回されると。

青山 まさにおっしゃる通りです。朝鮮戦争の影響は中国にとっても大きなものでした。
中国では共産党が、蔣介石率いる国民党と台湾海峡を挟んで内戦状態にありした。当初優勢だった北朝鮮は、アメリカを中心とする国連軍によって押し戻されました。しかし、そのタイミングで、共産党が国民党を台湾に封じ込め、中華人民共和国が成立したのです。
中国が参戦して国連軍を38度線まで押し戻し、休戦状態になります。それ以降、朝鮮半島は北朝鮮と韓国に別れたまま、今日に至ります。

西原 大国の対立に朝鮮の政治勢力が乗っかることで、それぞれ「共産主義のソ連」と「民主主義のアメリカ」の一次代理店になったわけね。

青山 朝鮮半島が、大戦後に空白地だったところに、原爆の開発に成功したソ連が、占領を目論んだことがきっかけと言われています。

西原 ソ連としては、大陸にアメリカの代理店があるのは嫌だものね。

青山 当時はそうだったのでしょうね。最近でも、ウクライナのＮＡＴＯ加盟問題を契機として、戦争を始めていますし。
で、その後日本は、１９５５年頃から１９９０年まで工業国として産業立国して、経済発展を遂げます。そして、人口は増え続け、消費・生産ともにピークを迎えます。

西原 その頃は、テレビＣＭでも、「24時間戦えますか?」とか、流れていたよね。

青山 私は、１９７３年生まれで、ベビーブームの頃でした。同じ年に生まれた同期が、今の三倍近くになる２００万人以上でした。

西原 それがなぜ、今のような状態になってしまったの?

青山 ポジティブな要因としては、国民が満足した、ということはあるかと思います。

西原　戦後の貧困を克服するために、働いて稼いで豊かになって、食べて飲んで踊って、もう疲れた的な？

◆数字のマジックに、ごまかされてはダメ！

青山　ネガティブな要因としては、「政治のミスリード」があるかと思います。

西原　と、言うと？

青山　今までみんなよく頑張りました。おかげで敗戦国だった日本は、世界二位の経済大国となりました。

これは、国民と政府が頑張ったからです。ですから皆さん、今からは多少遊んでもいいですよ、的な政策がどんどん出るようになりました。

２０００年に「失われた10年問題」が出たときに、本質的には生産性の改善と労働時間増をするべきだったのですが、政治が非正規就労を増やして、見た目の失業率改善で取り繕ったのが、スタートかと思います。

西原　竹中サン問題についても、よく言われるよね。

青山　非正規就労にすると、労働者の労働時間は減るのですが、給与所得も下がります。しかし、一方で失業率は下がり、企業の賃金単価あたりの生産力は落ちます。

この状況での一番大きな問題は、「国際競争力が下がる」ということなのです。

西原　ちょっと難しいから、簡単に言って！

青山　正規労働者は、労働時間が減り給与が下がるので損得なしとなります。

政府は、失業率が下がったと喧伝できるので、短期的に得です。

企業は、派遣会社に不要なマージンを払うので、人件費が上がり損をします。

この損した分が、世界で戦うときに比較劣位となり、国際競争力がなくなります。

西原　それでそれで？

青山　現代においては、大体の商品が市場を獲得できるかどうかのカギを握っているのは、「人件費」だと思います。

よほどの高付加価値商品でなければ、ほとんどの物はどこでも作ることができます。

日本の白物家電は、韓国製品に負けて、実質的に消失しました。

最近では、半導体でも台湾企業に競争で負け、エルピーダメモリという会社が、倒産してしまいました。その間に市場を獲得した台湾メーカーは、技術面でもどんどん進歩し、日本は流れにおいて行かれてしまいつつあります。

半導体についてはさすがにマズいということで、経産省が音頭をとって、国内企業連合による再生に着手したようですが……。

西原　結果としては、今も国全体で無駄なお金を払い続けて、それが少子化や貧困に繋がっているのでは？

青山　私はそう思っています。

働かざる者食うべからずで、世界における日本人の仕事というか存在意義が減ったことが、人口減少の大きな原因の一つであると思います。

西原　それから？

青山　国民が仕事を休んでゆっくりしたいと思っていた側面もあると思いますので、それはそれでいいと思います。しかし、その時にするべきことをやっ

ていないのです。

西原　というと？

青山　保険制度や年金制度も、人口減少や将来の国力減衰に備えたものに変更しないといけないはずだったのです。

西原　若くてマッチョな頃は、筋トレや暴飲暴食も酒もたばこも女もオッケー。でも、糖尿病になったら全部控えないといけないことと同じね（笑）。

でも、日本の社会保障制度は、よくできているはずなのでは？　アメリカなんか、救急車呼んだら数百万円かかるから、ヘタに病気になれないと聞くけどね……。

青山　はい、日本の社会保障制度は、本当によくできている面もあると思います。

アメリカのオバマ大統領も、日本を見習って、アメリカの低所得者層が安心して医療を受けられるように、オバマケアを作ったりしましたし。

誤解を恐れずに言えば、日本は病気になっても、国が面倒みてくれると思っている人が多いのではないでしょうか？　国が面倒をみなければならないのだと。

私が長く滞在していた中国では、病気になっても自己責任なので、さまざまな健康法で体を鍛えて、病気にならないようにしていました。

西原　中国の人は国を信用してないものね（笑）。国が絶対的な権力を持っているから、自分のことは自分で守ろうとする人は、確かに多いかな。

青山　日本の場合は、高度経済成長期に作られた社会保障に関するサービス設計が、基礎的な設計のところで大きく変更していないことが、問題かと思います。現在とは、基本的状況が大きく変化しているにも関わらず。

結果として、財政を強く圧迫しています。

西原　そうよね。人口がどんどん増えていて、若い人が増加している時に作られた制度が、そのままなのだから……。

税金の体系を変えるとかいって、消費税導入のときも、結局、既得権益を持っている人たちが大騒ぎして、なかなか変化できないもの。

議員さんたちも、既得権益の上に乗ってしまっているしね（笑）。

特に最近、政治家は責任感がなさ過ぎ！

◆変える努力をしないと変われない！

青山　政治家も含めて、仕事に責任を持って全うするプロフェッショナルが、非常に少なくなっていることが、大きな問題です。

疑惑に留まっていますが、議員さんの中には、自分自身も不倫をしているのに、宮崎議員の不倫を糾弾して辞職に追い込んでいた方もいましたからね。

証拠さえなければ、「嘘は貫き通したもの勝ち」というような、おかしな価値観がそこかしこに見受けられます。

こういう世の中では、正直者がバカを見ます。情実人事が横行し、多くの人がじっとして息を殺して何が起きても見て見ぬ振りをする、という選択肢を選んでしまうようになると思います。

社会保障制度をみても、他者（国家）に依存することを前提としたままなので、それが許容されないと国中で大騒ぎになります。「自立自存」という価値観の確立させるという観点から考えると、現行の中途半端な社会保障制度からは、マイナス面しか見えてきません。

結果的に、社会保障に関する中途半端な政策が、社会全体で将来への投資を制限してしまい、子持ち家庭への支援や子作り支援が実行できず、貧困家庭が増加しているように思えてなりません。

西原　もっと個人が力をつけて、国に寄りかからなくても済むようにしたければ、国は国民が自立できるための教育政策とか、労働スキルを上げるための政策を積極的にとって欲しいわ。

高齢者が増えたからと、社会保険関係費をこっそり（笑）上げたりするのは、本当やめて欲しいよね。もっと、真正面からシナリオを提示してくれ、と思ってしまう。内閣総理大臣の岸田さんも、「新しい資本主義」って、期待させるようなことを言っていたけれど、具体的には個人個人に何を期待して、国が何をするというのかしらねえ……。

青山　国が国民を助けるための政治は、本質的に政治の役目なので必要だと思います。しかし、目的と手段が、状況の変化に応じて適切に対応できていないと思います。

私は、個人個人が、自ら自分の価値観を変えていけば、基本的に解消すると思います。

「心が変われば行動が変わる、行動が変われば習慣が変わる、習慣が変われば人格が変わる、人格が変われば運命が変わる」という言葉があります。

まず、「自立自存」という価値観を心の根底に置いて、それによって行動を変えて行くべきでしょう。

国民は、このままでは駄目だと分っています。だからこそ、現状と将来像を政治家がしっかりと説明をしてくれて、「ここまでいくにはこれだけ頑張らないといけないけれど、必ずできるから一緒に頑張ろう」という呼びかけに、渇望していると思います。

西原　新しい政党ができるたびにムーブメントが起きるのは、その表れかもしれないね。新しい政党ができた時に、明らかにこれはマズいだろうという場合でも、一応はみんな注目するからね。

青山　政権を失った時の体験と、既存の政党のサラリーマン化で、かなりの割合で当事者意識が希薄になり、「こんなものでしょう」と思っているのだと思いますよ。

国民は、最後はハシゴを外されると、いうことを本能的に分かっているのですね。

RCサクセションというバンドが『雨あがりの夜空に』（作詞・忌野清志郎）という歌の中で、「こんなこといつまでも 長くは続かない」と歌っていますね。

西原　でもだましだまし、自民党は政権を維持し、継続しているよね。

青山　過去に一度、民主党政権に変わったのですが、いきなり政権を担ってみたものの、責任を全うできるような資質と経験が足りなかったと思います。

西原　それだけではないでしょ？

◆選挙制度の構造不良！

青山　小選挙区比例代表制が、政治が停滞している最大の原因だと思います。

西原　私も、それはそう思う。小選挙区だと競争がおきなくて、新陳代謝も起きないからね。資質のある候補者より、世襲で代々の顔なじみ同士で、政治を回すようなカタチになってしまう。

青山　小選挙区比例代表は、世襲政治家が自らの地位を、さらに確固たるものにするための制度だと思います。結果、自浄作用と新陳代謝がなくなっているのです。

加えて、私はもう一つ問題があるように思います。

西原　どういう？

青山　私が選挙に出た時に、選挙支部のお話をしましたよね？

西原　地元の地頭が仕切っている、というやつね。

青山　それです。

西原　選挙支部と党本部の調整がうまくいってると、衆議院の候補者がうまく決まるというやつね。

青山　まさしく（笑）。選挙支部の調整はうまくいっていることが当たり前で、「党本部の公認」ということが、衆議院選挙の場合はマストになります。

西原　「党本部の公認」って、どうやって決まるの？

青山　自民党の有力者同士のコミュニケーションが、極めて重要になってきます。

西原　なるほど。それでは新陳代謝なんて、夢のまた夢だよね。

青山　有力者同士のコミュニケーションは、ある意味では意義があると思いますが、候補者がサラリーマン化するリスクの方が、大きく表れているように思います。

　また選挙支部では、有望な候補者は宝であると同時にライバルにもなり得るので、制度的に支部の状況如何によっては、支部長と候補者の間で利害対立が起こるリスクもあります。

西原　なるほどね。サラリーマン化すると、どういう問題が出てくるのかしら？

青山　公認候補を選ぶ立場にある有力者が、極端な政策を進めた場合に、修正やブレーキの機能がないのです。自浄作用も働かないので、結果を出せなかった有力者が交代していかないのでしょう。

　また政治の最も怖いところは、「成績表がない」というところだと思います。

西原　確かに……。良いも悪いもなく、結果の検証もないままに、明日は明日の風が吹いて吹かれている、みたいになっているかも。

青山　そうなのですよね。成績表という意味では、人口減少と世の中の空気を見る限り、現在は最低点がずっと続いていると思いますが、それを誰も言わない約束になっているように見えます。もちろん、それが正しいかどうかは知りませんが……。

指摘もなければ責任の「せ」の字も出て来ない。江戸時代なら、結果責任を問われて閉門、蟄居、下手をすれば切腹ですよ。

西原　政治家になりたい時点で、「責任を負い、責任を果たして、責任を取りたい人」のはずなのに、権限を使って「責任から逃げたい人」ばかりに見える。

青山　そのような状況の中で、バブル崩壊から安倍菅政権を経て、現在に至ります。

この間は、「少子高齢化と東京一極集中、格差社会が進展する」という期間になるかと思います。

そんな社会を前提にして、若い人たちは不安だらけで、将来の夢をまったく持てなくなっています。

前にも触れましたが、分かりやすい指標として、人生の目標は、「金」、「地位」、「名誉」、「愛」、「夢」などが挙げられると思います。

日本の高度経済成長期（１９５５年～１９７３年）には、人口が増加し、経済も成長していましたから、横並びに近い状況で、隣の人と同じことをしていても、一定のお金、地位、それなりの愛も得られたように思います。

西原　横の人と同じことをしていても、全体のパイが大きくなっていくから、会社の規模も大きくなって、年とともに自然と地位も上がっていき、収入も

増えた……かな。

青山　男女ともに人口数が増加していましたから、需要は増え、生産も上がるという状態で、今よりもチャンスが多かったということです。

ところが、現代社会は人生の目標が、「金」に偏重し過ぎているような気がします。

昔……と言っても、日本が海外列強の植民地化計画の危機に際して国作りを急いでいた明治時代のお話ですが、理想の働き方のイメージは「末は博士か大臣か」でした。親たちはは、公的な貢献をする人になることが理想と考えていました。

西原　本当に……働き始める前に、ますは今後どういう人生を生きていくのかを整理して、決めておくのは大事ね。もちろん、都度変更するのは問題ないけど。

青山　まず働く前に誰もが考えるのは、「就職先はどこにするのか」ということです。

しかし重要なのは、そもそも「どこで」「何のために働くのか」について考えることです。

第2次世界大戦後の復興期は、そもそも働き口がなかったから、働く場所を選ぶというより、どこでもいいから働ければ、という考えが当たり前でした。

高度経済成長期を経て、今は豊かになっていますから、どの企業に入るかということを皆さんは重要視しているようです。

しかし、考えていただきたいのは、大企業に入ることが目的ではなく、仕事は「人生の目標を達成するため」にするのだということです。

高度経済成長期は、日本社会全体のパイが大きくなっていましたから、大胆な言い方をすれば、よほどおかしな企業経営をしない限り、横並びにしていれば大きくなることができました。とりあえず、できるだけ大きな企業に入れば、将来も安泰という考えでいられました。

西原　みんなが貧しい時代でしたからね。普通に会社に入っていれば、それなりの生活を確保できた時代ですよね。ギャンブルにはまるとか、酒に溺れるとかでなければ（笑）。

それに比べて現在は、30年間も続く不況で、将来には不安しかない状況だよね。不安だから、お金を使わず、とりあえず貯金しておくという、低欲望社会になって、夢を見ることもできない。

青山　という現実を踏まえつつ話を元に戻します。
　ここで、小選挙区制で自民党が初めて政権を失った後、民主党からまた自民党に政権が戻るときのお話を、さらっと振り返っておきましょう。

西原　よろしくお願いします。

青山　２０１２年11月16日に、民主党の野田内閣は、国会を解散して総選挙を行いました。
　安倍さんが亡くなった後、国会解散をすることになった、当時の党首討論（野田首相vs安倍自民党総裁、同年11月14日）が、テレビで何度も流れていました。

西原　確か、当時の野田総理が、「後ろにもう区切りをつけて結論を出そう。16日に解散をします。やりましょう」と言い切っていた。
　安倍さんが「今、総理は、16日に選挙をすると。それは約束ですね。約束ですね。よろしいんですね。よろしいんですね」と興奮して連呼していたね（笑）。

青山　そうです。それで、民主党は惨敗して、自民党の圧勝でした。そして、２０１２年12月に安倍晋三第２次内閣が発足して、「アベノミクス」と言わ

れる経済政策を展開しましたね。

「アベノミクス（安倍首相による経済政策）」は、その昔、１９８０年代にアメリカ経済を立て直したと、最近になって再評価されているレーガノミクス（レーガン大統の経済政策）になぞらえて、「失われた20年からの日本の復活、復興」を訴えました。

西原　そうですね。前回は病気で退陣した安倍さんが、颯爽と再起をかけて登場した、という印象でしたね。何か新しい大胆なことをしてくれそう、という期待も大きかったわよね。

青山　はい。前回の失敗を生かすんだ、という強い意志を感じました。

政策は、①大胆な金融政策、②機動的な財政政策、③民間投資を喚起する成長戦略という3本の矢だと言っていました。

いま振り返ると、①、②は政策の理念や考え方としては、当時良かったのですが、③と上手く連動せず、3本の矢が一体化しませんでした。

バラバラになって、毛利元就が「それぞれの矢は折れやすいが」と例えた通りに、それぞれがたやすく折れたということでしょうか（苦笑）。

◆アベノミクスは、効果があったのか？

青山　それで、アベノミクスなのですが（笑）。

第一の矢である「大胆な金融政策」は、２０１３年1月に「デフレ脱却と持続的な経済成長の実現のための政府・日本銀行の政策連携について」という共同声明が、内閣府・財務省・日本銀行の連名で発表されました。

その中で、日本銀行の物価安定の目標を消費者物価の前年比上昇率で2％とすることが明示されました。そして、金融政策決定会合で、その達成に向けて、市場から資産を買い入れる「金融緩和政策」の導入を期限を定めずに決定しています。

その年の3月には、いよいよ財務省出身の黒田東彦さんが、日本銀行総裁に就任して、大量の国債買い上げ、上場投資信託を買い入れして、その後も、質的・量的金融緩和の拡大を続けています。

西原　確かに、金利はずっと低いまま……。でも、景気はそんなに良くなってないじゃない！　実感はないけどね。

青山　それが問題なのです。感覚が大事なんです。

実際、株価が上がっていても、生活は苦しくなっている、ということは、間違いないと思います。
　非正規雇用を増やして失業率を下げたのが、成果だと言っていることと同じです。株価が上がれば景気が良い、と信じ込まされているというだけです。
　株価が上がって景気が良いのは、株を買っている人や大企業だけです。
　景気が良いと感じられたら、財布の紐が緩みますが、そんな実感がないと、財布の紐は緩みません。すると結果的に、お金を貯め込んだままにしてしまうということになります。
　バブル経済のときが、ちょうど逆でしたよね。誰もが株や土地が上がり続けると信じ込んだので、消費が拡大しました。個人の感覚とか心理って、とても大事です。

西原　ギャンブルと一緒じゃない！　勝っていると、いつまでも勝ち続けられそうで、止められない（笑）。

青山　次に、第2の矢の「機動的な財政政策」です。まず、公共事業を柱とする緊急経済対策を盛り込んだ大型の補正予算案を決めて、その後も大型の歳出予算が続きます。その結果、政府財政支出が大きく寄与した、2％程度のGDP成長率が達成されます。
　第3の矢は、「日本再興戦略」（2013～2016年）、「未来投資戦略」（2017～2018年）、「成長戦略実行計画」（2019年）が、日本経済再生本部（本部長・安倍首相、メンバー・国務大臣全員）によって策定されて、各種の制度的規制を緩和する国家戦略特区の創設がされました。

西原　国家戦略特区って言えば、例の「モリカケ問題」の片割れ、加計学園が今治市に獣医学部を新設することと関係あるのじゃない？　確か、国家戦略特区制度を利用して、認められることになったとか。

青山　そうでしたね。

西原　3本目の矢は、お友達との利権に向かって放たれた？（笑）

青山　ハハハ……。国家戦略特区は、発想自体はいいと思いますし、上手くいったところもありました。しかし、さまざまな利権と結びついてしまったことが良くないですね。大人としての責任感をもって、物事を処理できないというか。

西原　みんな、しょぼいお金につられすぎ！　私のように、1000万円をFXで損しても、命まではとられないんだから（笑）。

青山　本当にそうですよ。現代では失敗しても命までは取られないのですから、何回も何回もチャレンジした方が得ですよ。失敗したって他人はそこまで失敗した人に興味ないですし、恥ずかしくもない。

西原　失敗しても、また働いて稼げばいいの!!

青山　アベノミクスの第3の矢の続きなのですが、2014年度からは法人税率の引き下げが実施され、2018年には残業時間上限規制、高度プロフェッショナル制度新設、正規・非正規社員待遇差解消が図られました。また、外国人労働者の受け入れ枠が拡大されました。

　企業にとっては、競争力を上げられる条件整備が行われたと言えます。

　安倍首相は、この間に2014年末の総選挙で勝利して、第3次安倍内閣を組閣し、2015年9月にアベノミクスは「第2ステージ」に入ると宣言して、「新しい3本の矢」についても語っていました。

　第1の矢は、「希望を生み出す強い経済」。経済最優先によって、戦後最大の国民生活の豊かさを目指すことでした。

　第2の矢は、「夢をつむぐ子育て支援」。そこで、希望出生率1・8」を目指し、待機児童ゼロの実現や幼児教育の無償化の拡大、多子世帯への重点的な支援を行うことを挙げました。

　第3の矢は「安心につながる社会保障」。介護施設の整備や介護人材の育成、在宅介護の負担軽減など仕事と介護が両立できる社会づくり。そ

して、意欲ある高齢者が活躍できる「生涯現役社会」構築を目指すということでした。

アベノミクスの「第2ステージ」を高らかに宣言して、在任期間で歴代最長を記録しましたね。ただ、かけ声は良かったのですが、結局、体調不良で2020年9月に退任して、菅義偉さんが後を継ぐことになりましたが……。

西原　上手く言うわね（笑）。黒田さん（財務省出身の黒田東彦が日本銀行総裁）だけは折れずに、いまだに一人で金融緩和を言い続けているね（笑）。おかげで株は上がったけれども、その恩恵にあずかれない人が大多数だったような気がするなあ。黒田さんも、エリートコースまっしぐらの人で、黒塗りの車で送り迎えしてもらって、庶民の経済感覚、肌感覚が分からないのと違う？

大きな企業とか金持ちは、株とか金融資産を増やせたけどね。結局、日本政府の国債を大量に日本銀行が買っているけど、こんなことしていて大丈夫なのかな？

青山　おっしゃる通りで、アベノミクスで恩恵を受けた人は、銀行から金を借りることができる人や、株や不動産を売買してた人だけに留まっており、将来的にも今の状況に留まるだろうと思います。

西原　富裕者がより豊かになると、経済活動が活発化し、低所得の貧困者にも富が浸透して利益が再分配されるという「トリクルダウン」は起きなかったということね。

青山　「トリクルダウン」は、希望のない世の中では起きませんよ。

漫画「ドラゴンボール」に例えて言うと、アベノミクスによって現在の日本人と将来の日本人から集めた「現金球」を、企業は日本社会に向けて放たなくてはいけなかったのです。しかし、それを自分で脂肪として蓄えてしまったというイメージでしょうか。

私は、儲かった分を、極力さらなる投資と消費に使いますが（笑）。

西原　一方で、公文書の偽造問題も起きたわね。

青山　公文書の偽造問題は、本当に大きな問題だと思います。行政が文書を偽造するということは、政府の存在意義自体を否定せざるを得ません。

私は、本件において自殺された財務省の方は、最初は責任感が強過ぎるのだと感じていましたが、彼は日本の「やばさ」を身をもって示してくれたのかも知れないと、最近思うようになりました。

西原　それは一体どういう？

青山　彼が行った公文書の改ざんは上司の指示で行っただけなので、本来、彼が責任を感じる必要はないわけです。

西原　上司って誰だったかしら？

青山　佐川さんという財務省の官僚です。引責辞任しています。彼は国会で追及されたときに、最初は一切知らないと言ったにもかかわらず、一転して「私が指示した」と証言して辞任しました。

西原　「知らなった」のか、「私が指示した」ということか、どちらかが「嘘」だということになるわね。

青山　「両方とも嘘」だ、という可能性もあります。

西原　両方とも嘘だとしたら、何が事実なの？

青山　佐川さんも独断ではなく、上司の指示、または了承のもとで、公文書改ざんの指示をしたということです。

西原　上司というと？

青山　財務省の事務次官か財務大臣、ということになりますね。

西原　オリンピックの談合もすべてそうだけど、国民の財産や税金をなんだと思ってるのかな。しかも公文書改ざんって単なるお金の問題ではなく、政府官僚の組織犯罪といってもいい話よね。

青山　私もそう思います。国民が政府に権力を委任しているわけですから、政府は権力の執行の過程をきちんと記録して保管し、要請があったときに開示する義務があるわけです。

それを改ざんするということは、国家の根幹を揺るがす行為です。赤城さんの自殺は、そういう異常事態が起きていることを世の中に提起するということでは、極めて大きな意味を持っていたと思います。

安倍首相には、直接の責任はないと思います。しかし、行政や政府のカルチャーが歪んでしまっているわけですから、日本の首相としての責任はあると思います。

西原　首相も大変ね。でも安倍さんは、アベノミクスもそうだけど、本当に権限を行使するという意味では、首相在任期間も最長だけど、いろいろなことをしたよね。

青山　アベノミクスに話を元に戻しますと、昔、高橋是清というとてもエライ人がいて、総理大臣、大蔵大臣などを務めました。彼もアベノミクスのような政策を実施した人でした。彼は、置屋《おきや》に住み込んでいたことがあります。

お客さんがお金を使うと、芸者さんたちの収入になりました。それだけでなく、酒屋さん、八百屋さ

ん、魚屋さんなど、いろいろな人の収入になりました。その人たちは、また自分が食べるために、お金を使いました。すると、また次の人の収入に……。

これは、経済学では、「乗数効果」と表現されていて、最初に使ったお金が、国全体では何倍もの収入になる、ということを意味しています。

高橋是清は、この考え方で景気が悪いときは政府が赤字国債を発行して投資事業を行えばいいと考え、政策担当者としては世界で最初に実施した人として知られています。

高橋是清は肌感覚でやっていました。

しかし、後にイギリスのケインズが、経済学の一般理論まで高めています。

※置屋は、昔の日本で芸者や遊女を抱えている家のこと。料亭・待合・茶屋などに、芸者や遊女を差し向けていた。

西原　置屋《おきや》に住み込んで体得した、肌感覚の政策ね。

青山　これからお話することが大事なのですが、高橋是清は、赤字国債を発行するのはいいけど、それをタイミングをみて、きちんと発行を止めないといけないと考えていました。

しかし、結局は軍事費の拡大を赤字国債で行うことに味をしめた軍部が、暴走をしてしまいます。

西原　アベノミクスではどうなったの？

青山　アベノミクスでは、やってはみたがトリクルダウンが起きませんでした。それは、これまでにお話した通りです。

しかし、起爆剤として金融緩和をして、ダメっぽいと分かった時点で止めるべきでした。そして、アベノミクスでも、安倍首相はともかく周りは出口を懸命に考え出していた頃に、戦争ならぬ、予想しなかった財政出動が起きてしまいました。

西原　「コロナ」ね。

青山　ハイ。アベノミクスで始まった金融緩和は、出口戦略の議論が出始めた矢先に、コロナ緩和に継承されてしまいました。現在も出口をどうするか結論がないままに防衛費の増額が出てきたりなど、将来に向かって国民の見えない負担を増やし続けています。

西原　それで、アベノミクスは、結局上手くいったの？　いってないの？

青山　結果論としては「全然うまくいかなかった」

というのが正しいでしょうね。

政策目標の第一に掲げていた2％のインフレ率の実現や、潜在経済成長率の引き上げは、上手くいっていないです。

最近、急に物価が上昇し始めましたが、これは原材料価格の高騰による輸入物価の高値が原因の「コストプッシュインフレ」であり、付加価値が増えたわけではありません。

ウクライナとロシアが戦争している影響が、出てきているのだと思います。

西原 アベノミクス、ダメじゃない（笑）。パフォーマンスは、カッコよく目立ったけれども。

青山 もともと、民主党政権下でも低金利政策になっていたので、金融政策は上手くいかなかったですね。
経済学の先生たちがよく使う台詞に、「糸は引けるけど、押せない」というのがあります。

西原 糸？ たしかに糸は押せない！

青山 インフレ状態になったときに、金融政策を引き締める（糸を引っ張る）ことでインフレを退治できます。

しかし、逆に金融政策を緩和（糸を押す）をしても、デフレはインフレにならない、ということなんです。現在は、「流動性の罠」状態だと言ったりもされています。

この辺の論争は、昔から学者先生たちはお好きだったようです（笑）。

西原 ともかく一般の人々の生活を良くして欲しい！ 庶民主婦代表のサイバラの切なる願いです。
でも、黒田さんがもうじき交代になるけど、金融緩和は止めないようなイメージよね。

◆本来やるべき金融施策は？

青山 緩和政策は今のところ適切であり、「時期を見て適切に調整していく」、というお決まりのセリフが出ています。

ただ、超金融緩和政策は、株高をもたらして、日経225種平均株価は、2012年の終値1万395円から、2013年末に1万6281円になりました。

その後も上昇して、上下動はありましたが2022年の終値は、2万6000円台でしたね。

株高だから景気がいい、というのは間違いなのですがね。一部の人間の懐具合が良くなっただけなのですが、失業率と同じで株価が高いと景気が良いと言われて、皆それを信じ込まされているのです。「俺、生活苦しいけど」と、言い出せない状況になっています。

今回の日本の株価上昇は、日本銀行と年金積立金管理運用独立行政法人GPIFによる上場投資信託ETFの買入で、後押しされたからなので、民間の個々の人が積極的に株式投資に走っていたわけではありませんからね。

（日銀とGPIFの国内株式関連資産は、2012年末の19兆円から2019年末に63・8兆円へ）。

西原　なんか、もっともらしいわね。

青山　もっともらしいのですよ（笑）。誰にとって適切かといえば、国債を保有している人にとって適切なだけで、庶民はインフレに耐えて耐乏生活を強いられることになります。

西原　金利を上げるとどうなるの？

青山　国債価格が安くなり、政府は多額の含み損を抱えることになります。

西原　今までの政策が間違いだったと指摘され、責任者探しが始まるということだね。

青山　私は緩和政策については、皆の総意の元にやったことなので、仕方がないと思います。

しかし、ほぼほぼ失敗だったと、みなが分かっている状況下で、問題を先送りにするために損を出し続けても継続する、となっている状況は、本当にダメだと思います。

西原　コロナや第二次世界大戦と同じ香りがしてきたわね。では、どれくらいの期間を、不景気に耐えればいいのかしら。

青山　肌感覚でざっくり言えば、10年〜15年でしょうかね。

西原　そんなに？

青山　国債がなんやかんやで200兆円以上増えていますから、日本のGDPが500兆円として年5％、みんなで苦しい想いをして10年かと……。

西原　説得力あるわぁ〜。

◆日本は、どう変わっていくべきか？

青山　今から始まる不景気が、10年以上続くと考えると、やはり次回の総選挙かその次の総選挙で自民党は政権を失う可能性が、高いと思います。

西原　責任逃れにも限界がある、というわけね。

青山　生活が苦しい人が増加すると、治安も悪化します。それに、いくら株価を高く維持して見せかけを取り繕っても、限界があると思います。

　あと、経済状況が苦しい人が多いので、今から10年で人口は毎年50万人以上減り続けるでしょうね。

　少なくとも５００万人は、今から10年で減少すると思います。

西原　５００万人‼　人口は減るのが当然のような話を聞いたことがあるけど、10年で５００万人以上減るのが本当だとしたら恐ろしいことね。

　一旦これまでのつけを払うために不景気になったとしても、その後はどうしていけばいいのかしら。

青山　日本の経済成長率を引上げようとすると、政策として根本的な構造改革が必要だと思います。

　社会保障制度を大きく改革したり、信頼性のある財政収支改善計画を打ち出す一方で、国民に現状の厳しさを正面から説明し、今後の再建プランを提示して協力を要請します。

　そして、努力することだと思います。

西原　「自立自存」の精神ね。

青山　個人の消費動向で見ると、個々人の平均消費性向（収入のうち消費に回す割合）は明らかに低下しています。

おそらく、収入から引かれる税金や社会保障の負担が、大きくなっているからでしょう。２０１９年10月の消費税増税の影響と、社会保険料負担増の影響かと思います。

実際に、厚生労働省の『国民生活基礎調査』に掲載されている「各種世帯の生活意識調査」でも、生活苦を訴える層が過半数を超えていて、国民の肌感覚では「えらく生活が苦しいなぁ」「みんなどうやって生活しているんだろう?」というのが、普通の人の感覚ではないでしょうか。

西原　消費税も上がったし、それに社会保障費って、知らない間に、どんどん上がっているよね。

税金は、マスコミも取り上げて大騒ぎしているから、何となく分かるけれども、社会保障費は、いったいどこで決めているのかしら？　国会で決めてないものね。

青山　日本が本当に成長していないのは、過去のデータと外国とを比較すれば、一目瞭然です。

１９７０年から20年区切りでみると、１９７０年からバブルが崩壊した１９９０年までの日本の年平均ＧＤＰ成長率は、「７・１％」と先進国の中でズバ抜けて高かったのです。

ところが、１９９０年～２０１０年は「１・１％」、２０１０年～２０１９年は「１・０％」と、極めて低水準です。

アメリカ、イギリス、ドイツ、フランスといった日本以外の先進国のＧＤＰ成長率は、１９９０年以降、どの国もそれ以前より低くはなっているのですが、日本と比較したら、1.5～3倍程度の高い水準です。

◆日本は停滞しているという自覚が必要

西原　日本だけが、そんなに成長していなかったんだ……。何をしていたのだ、日本！

青山　日本は、貿易も停滞が著しいです。

輸出の増加率も、日本は１９７０年～１９９０年にかけて年平均「16・６％」と先進国の中で最も高かったのですが、１９９０年以降は停滞していき、２０１２年～２０１９年に、年平均「２・８％」と最低水準になっています。

これは、１９９０年代以降は、ＢＲＩＣｓ（ブラジル、ロシア、インド、中国の総称）を代表とする新興工業国が工業化したことによって、急激に貿易が拡大したチャンスを、日本が上手くとらえていないことを意味しています。
アメリカやヨーロッパに比べて、財やサービスの取引がグローバル化していることに、日本が出遅れていることを示しています。

非正規雇用の話題でも少し触れましたが、大体の商品の競争力の源泉は、「人件費」である商品が多いという状況下で、日本人の人件費が高くなり、仕事が他国にとられている証拠だと思います。

日本の停滞は、産業構造にも大きな問題があるようです。
これも1970年から、約20年間ごとのデータですが、1970年~1990年にかけては、日本の製造業の成長率は、年平均7・3％と増加していて、先進国の中でも傑出していましたが、1990年以降は1％台に低下し、他の国と大きく変わらなくなりました。
むしろ、製造業が産業に占める割合は、日本だけ1970年から2019年に上昇しているのに対して、それ以外の国は低下しています。先進国では、製造業から違う産業に中心産業が変化して、産業構造が大きく変わりました。

特に、日本のＩＴ産業は、大きく出遅れています。1990年代以降、その急速な発展の成果を、日本は他の先進国ほど享受できていません。

西原 なんでそんなことに！

青山 アベノミクスは、本当は第3の矢である成長戦略で、賃金と生産性の上昇を狙っていたので、それが実現できれば良かったのですがね。
日本の賃金上昇率は、著しく低いままで、ＯＥＣＤが加盟諸国の年間平均賃金額のデータを公表しています。それによれば、2021年について、日本は4万849ドルで、アメリカは7万4738ドルです。なんと日本の賃金は、アメリカの6割にも満たないのですよ！
さらに、ドイツが5万6663ドル、イギリスが5万1724ドル、フランスが4万9619ドル、イタリアが4万1438ドル。そして、驚くべきは、韓国の4万4813ドルよりも低いのです。
日本より賃金が低い国は、旧社会主義国とギリシャ、スペイン、ポルトガル、メキシコぐらいなのですよ。私も、このデータを最初みたときに、衝撃を受けました。

西原 え――っ。それって、おかしくない？　日

本は賃金水準で、ＯＥＣＤの中で最下位グループに入っているってことじゃない⁉

日本って、先進国じゃなかったの……これじゃあ、まるで、発展途上国よね。

こら、青山社長は何をしていたの！　経営者として（笑）。

青山　私に怒られても……（笑）。経営者として政府の言うことは分かるし、そうしたいのはやまやまなのですが、屏風のトラを縛り上げろと言われてましてもね。

屏風からトラを追い出してくれたなら、後は私の方できちんと捕まえますからという話になってしまいます。一休さんとんち話、屏風の虎編ですが（笑）。

西原　ははは。具体的には？

青山　日本社会全体が、いつの頃からか、みんな国に対する依存心が高まってしまいました。

また、国も選挙民のご機嫌取りに終始している間に、きっちりした方策を立てず、行き当たりばったりで支離滅裂な財政出動や経済政策を、目の当たりにしてしまいました。

その結果、保守的に会社に財産を残そうと考える

経営者と、希望ではなく不安を抱えて消費を手控える消費者になってしまうのは、仕方がないことだと思いますよ。

西原　社長が上海で見た、月給5万のサラリーマンが５０００万のマンションを買うために行列して、殴り合う世界とは真逆ね。

青山　せっかくのアベノミクスも、うまく機能せず、経済格差を助長したまま、コロナ感染症の拡大に突入して大混乱になりました。

さらに、インフレは起きてきていますが、単なる原油価格、輸入食料品価格の上昇というコストプッシュインフレになっているので、これは経済成長によるインフレではありません。

世界的な不況によって、日本は大不況に陥る寸前です。

西原　どうすればいいのかしら？

青山　繰り返しになりますが、生産性が低いなら高める努力をする一方で、高まるまでもうちょっと働いてなど、具体的な期限や将来を示して、現実認識をきちんと共有して、官民一体で努力することだと思います。

さらに60億人の世界マーケットに、通用する高付加価値商品やサービスを開発することも大事だと思います。

西原　たとえばどんな？

青山　健康に長生きしたい私は、ＩＰＳ細胞に超期待を寄せているのですが、ＩＰＳ細胞といえば、日本じゃないですか！

西原　たしかに。

青山　ですので、国をあげてＩＰＳ細胞を使った健康長寿サービスを開発して、世界にむけて宣伝すれば、それを使いたい世界各国の健康オタクが、全力でサービスを利用しにくるはずです。

それ以外にも、電気自動車など新エネルギー関連事業とか、食料問題解決のための新しい展開とか。

このまま金融緩和政策だけに留まると、単に格差社会を助長しまうだけです。

金融緩和政策で実質的に優遇措置を受け続けた企業は、世界市場で利益を上げていくように新商品を開発し、国内で雇用を増やし、賃金を増やし、消費を増やしていかなければなりません。

西原　このままでは、貧富の格差はますます拡大して、希望のない若者がさらに増加してしまうよね。拝金主義が横行するかも！

青山　私も、より良い社会を作ろうとする力より、奪い合いの社会へ向かってしまいそうで、とても恐ろしく感じています。

ルフィという指示役の存在が有名になった凶悪犯罪組織ののような、老人に対する組織的強盗殺人などの犯罪の発生は、その前兆だと思います。

本来、日本は世界各国に比べると、民族対立だとか、宗教の対立軸がない点で、幸せな国家のはずなのです。

西原　それで、個人個人が腹をくくって自立自存の精神を持ち、もっと働いて、政治にもきちんとモノを申さなければならない、というわけね（笑）。

青山　「敗戦後、朝鮮戦争をきっかけに産業立国に成功し世界第二位の経済大国になった後、１９９０年代に入りバブル崩壊をきっかけに気が緩んで、なまけ癖がついて、政府もミスリードを繰り返し、国全体で自立自存からどんどん遠ざかり、少子高齢化と分際をわきまえない社会保障制度もあいまって、将来に対する投資ができず前借ばかりで、希望が持ちにくい世の中になっている」。

現状分析という意味でまとめると、こういうところでしょうか……。

西原　無茶苦茶な言い方しているな〜。とにかく、現状分析を元に、次は未来予測ね。

青山　未来予測の前に、現状分析の応用と未来予測のためにも、直近に起きた「コロナ問題」と「ウクライナ戦争」について、自分なりに考察しておきたいと思います。

西原　現在の価値観と社会の状態において、コロナにどう対処したかということと、国際情勢を考えるときにウクライナ戦争を例に考えるということね。

青山　ハイ。ウクライナ戦争は、台湾問題を考える際にも役立つと思います。

今こそ医食同源
数十種類の
漢方エキス
ラム肉の
良質なたんぱく質
火鍋
免疫力
実を申しますとね
この麻辣汁と白湯汁がうますぎて
汁と肉をまんま
ビン
ブリ入れて
肉吸いして
たして
どるるるる
永遠に飲むってのをやっていて
小肥羊のつけダレをあんまり活用してなかったんです
さーせん
そこで今回は数あるつけダレの中で
一番人気
ゴマダレ
ここがもったいないと思うんです
日本人何でもすぐゴマダレ
私のおすすめは
ヒイスだれ
ネギがバジルソースみたくなっててね
全ての食材に
ホホホ
ばっちぐーよ

ホラ風邪ひいた時、ネギ首に巻くやんか
これを内側からやっちゃうのよ
中華四千年の知恵
ふっ
さあワシは7億円借金の舞でも舞おうか
す
氷上の火鍋舞い
あちあちちち
くるくるくる
四回転の何か
さすが小肥羊代表
絶品のきりきり舞い
この程度の借金
ふっ
すちゃ
沖縄で取り返す
青山リゾート開発沖縄にどえらい土地持ち
そう
その話どうなったか知りたかったのなんかこっちから聞けなくて
あと太陽光とかも
とにかく借金ついでに北京オリンピックカーリングスポンサーになっときゃよかった
#火鍋女子
鍋の中でくたくたになったネギとニンニク
〆の雑炊にまぜるとサイコーっすよ
しゃー

コロナの真実とは何だったのか？飲食事業は大混乱！

◆火鍋事業も、コロナで火の車！

西原　コロナ禍では、火鍋屋さんの経営も大変だったでしょ？　小肥羊はよくつぶれなかったわね。

青山　ありがとうございます。とても大変でした。コロナが始まってから今までに、7億円以上の損失を出しましたよ。

西原　7億円⁉

青山　コロナ問題が起きた時に、心配してくれた先生には、「金が減るだけです」と冷静を装ってお話しましたが、減り過ぎました。

西原　大変だったのね。

青山　国の支援政策も活用させていただく一方で、商工中金さんと政策金融公庫さんから「劣後ローン」を組んでいただくことができたので、何とか今のところはしのいでいます。

　また、お取引銀行さんにも、融資の返済を待っていただいたりして感謝です。

西原　それは不渡りってこと？

青山　手形を切っていたわけではないので、不渡りではありませんが、その通りです。

西原　今後の見通しはどうなの？

青山　同業他社さんの状況や、この三年の間のコロナ流行の合間の回復度合い、そして廃業店舗の数などを見ていて、何とかなるようなイメージは持っております。

　しかし、コロナの続編みたいな状況が発生したら、もうお手上げですね。

西原　お手上げ？　融資以外に、コロナ支援もたくさん出たんじゃないの？

青山　確かに、飲食業界に対しての支援金は、たくさん出ました。あまりサイズが大きくない店舗で、一店舗だけ経営しているような場合は、十分だったと思いますが、全体を見れば、十分とは言えませんでした。

西原　どういうこと？

青山　都市部で大きめの店舗を多数展開している会社にとっては、支援金をいただいても赤字は解消しませんでした。しかし、小さめの店舗で従業員が少ないお店にとっては、手厚い支援制度だったと思います。

家賃を基準にして、支援金を支給するべきでした。もっと言えば、廃業するお店に対して廃業資金を支援して、経営者に通常よりも「破産」という選択をしやすくしてあげるべきでした。そして、残ったお店に、家賃ベースで支援金と融資をすることが、正解だったように思います。

西原　でも、コロナは世界中をあげて大騒ぎしたけど、実際はどうだったのかしらね。

ブラジルは何もしない宣言してたし、インドも放置戦略をとっていたけど、そっちの方が正解だったような。

青山　インドは、ガンジーの非暴力不服従運動のような対応をしていましたね。毅然として何もしない、と。個人的には、大正解だったと思います。

西原　コロナ禍での、国としての日本の対応はどうだったのかしら。社長の感想は？

青山　まあ、いろいろ課題が明らかになったなぁと、いうイメージです。

西原　具体的には？

青山　多種多様な問題はあるのですが、政府の対処方法として、専門家の分科会を前面に出して対策をとってました。

しかし、僕は政治家が前面に立って「分科会で専門家との検討の結果、こういう判断をしたので、この対策でいく。もし失敗しても、選挙で選ばれたリーダーとして決断するので、失敗した責任は皆さん次回の選挙で落としてもらって結構です」と、こんな感じで責任ある対応を、して欲しかったなと。

どわ〜ん
小肥羊
国家より御布令である
三つ編み
何と我が社小肥羊が
日本政策金融公庫から劣後債の実行を賜ったぞ
わー
わー
ぽんちゃん絶対地面師グループに
型にはめられてる

ちぎゃーう
ぱーん
ちぎゃうちぎゃう
ぱぱぱぱぱ
ちぎゃーう
ぱーん
劣後債はかなりお得な国の資金でめっちゃ有力な武器
わかったスルが銀行融資で変なアパート建てるヤツだ
ワシはそんなんひっかかりまへーん
劣後債が出るのはすんごくむつかしいんです
それが出たってことは
小肥羊事業の価値を国が認めた
つまりオレ青山浩を
国が認めた
と言っても過言ではないでしょう
小肥羊御利用のお客様
そして従業員の皆様
はいはい何ですか社長
これで競合を叩き落とせる
ぐふふふ
鬼に火鍋
副音声
ふき出る鍋の春

西原　なるほど。なぜ分科会が前面に出てくるのか、私も不思議に思っていた。

青山　責任を取りたくないから、「専門家の意見に従っただけ」という言い訳を、残しておきたかったのでしょうね。

　百歩譲って、そういうことであるならば……。

西原　あるならば……？

青山　国民の皆さんに広く選択肢を示して、多数決を取れば良かったと思っています。

西原　選択肢とは？

青山　例えばこういうことです。

「コロナについては、現時点でこういうことが分かっています。対策としては、プラン①、②、③があります。それぞれのメリット・デメリットはこうです。選挙で選ばれた立場としては、プラン①がこういう理由で適切だと思っております。しかし、これは今後の国家財政に大きな影響を及ぼすので、私の方針を説明した上でみなさまのご意見を伺うことが重要だと考えております。その結果、私が判断を変える可能性はあります。しかし、私が責任をとることには変わりありません。皆さんの選択はいかがでしょうか？」と。

西原　なるほど。みんな頭を使って考えるわね。

青山　ハイ。コロナは発生初期に大騒ぎしてた頃から、８割が無症状ということでした。

西原　不思議な病気だと思っていたわ。

青山　そうなんです。これは逆説的に言えば、罹患したうちの８割には影響がないということでもあるわけで。

西原　そうよね。

青山　とすると、1億のうち２０００万人が罹患していても、１６００万人は無症状で、４００万人のうちで亡くなるのは、多くても10万人位だと言えたと思うんです。

西原　死者数10万といえばものすごい病気のように思えるけど、1億の10万なら大したことないわよね。失礼を承知で分かりやすく言うと、1億円儲けて、税金が10万なら、無料みたいなものよね。

青山　ハイ。日本では、寿命で年間１３０万人が亡くなります。言い換えれば、１日４０００人近い人が亡くなっていることになります。

そう考えると、「コロナは確かに未知の怖い病気でしたが、必要以上に恐れていたのではないか？」と。

西原　最初の３カ月位で、大体は分かっていたはずよね。

青山　私も、政府はあらゆる情報を集めていて、ある程度分かっていたと思うのです。

そんなに関心がなかった人間の肌感覚程度でも、こういう考えになるので。

西原　でも、責任をとらないために分科会を設置して、そのほかにもやり過ぎなくらいの対処したと。

青山　しかし、最初はやりすぎなくらいに対処したとして、３カ月後くらいとは言いませんが、１年後くらいには対応を改めることはできたはずだと思います。

◆コロナで失った大切な人

青山　しかしながら、私を客員教授にしていただいた森本理事長も、コロナでお亡くなりになりました。

西原　おいくつだったの？

青山　89歳でした。しかもコロナ禍の前に、心臓を

ぽんちゃーん
コロナ第三波
大丈夫
よもや
よもやだ
ゴウウウウウウ
コロナ
ごときで
生殺与奪の権を
他人に握らせるな
映画
観ちゃっ
たのね
何故私がこんな姿に
中の人
山本一郎
ぽんちゃん社長は
東大出てるくせに
物事を決める時
バッタ屋みたいな
アレなとこが
あるんだよ
ちなみに私、西原は
●滅の刃を
読んでないっ
漫画家なのに
どうしてっ
太陽を
直視して
どうするよ
己の分とか
わきまえる
とかあってだな
げぼー
それはご無礼
つかまつった

だからカンで描くよ こんなもんだろう 滅
俺は信じる
全国の火鍋ファンを 小肥羊を信じる
ぼぼぼぼぼぼ
俺は俺の責務を全うする!! 火鍋を愛する者は誰も死なせない!!
西原さん これじゃ千葉のジャガーさんだし
火鍋屋があったら入りたい
うまい うまい うまい
ナゼわがココに?
数合わせと 黄色いからです 気になさらないでドクター
ずぼぼぼ
菌滅の火鍋
無限半額火鍋列車
1月12日まで 肉半額 飲み物半額 キャンペーン延長
ナゼわしがここに
火鍋チャンネルもよろしくね
無限列車にメーテルはいませんよ

悪くされていて……。

西原　心臓にダメージを受けていて、さらにご高齢ということなら、コロナは脅威ね。

青山　コロナが流行りだしてからも、食事は定期的にご一緒していました。

大阪で大流行していた時期に、延期のご連絡をしたら「よっしゃ分かった。でも青山さんな。人間は必ず死ぬんやから、わしは別にええねんで。でも時期が時期やから改めよう」と。

それが私と理事長との、最後の会話になりました。

西原　延期したのに、コロナに罹ってしまったのね。

青山　構わず、いろいろなところに出かけられていたのだと思います。

あの時、食事をしていた方が良かったのか、延期が正解だったのか、ということについては、今も時々考えます。

西原　分かるわ〜。

青山　しかし、理事長はお亡くなりになるときに、ご自分のお別れ会のプロデュースをご自身でなさっていました。

西原　死を前提に段取りをするとは……。常人では、それはないわね（笑）。

青山　ハイ。コロナ流行期だとお別れ会に来る人数が減るから、半年後のコロナが流行ってなさそうな時期にと、指定してお亡くなりになりました。

その日は自分の誕生日であり、人の集まりやすい土曜日のお昼でした。

西原　社長が尊敬するのも分かるわ。

青山　キャラクターが強烈な方で、一代の傑物でいらっしゃいました。

西原　ほかにも、銀座で飲み屋が苦しいということを聞いて、「どうせ死ぬし、暇なら普段よりモテる」などいう理由で、銀座に普段通り通い、コロナで亡くなったご高齢の方が、何人もいるって聞いたわ。

青山　「人生いかに生きて、いかに死ぬか」という話かと思います。

人間は必ず死ぬ、というのは前段でも話しましたが意識しておくべき話だと思います。

西原　でもマスコミも連日連夜、報道番組とかは、コロナの話題で持ち切りだったわよ。

青山　マスコミにとっては、製作費無料で結論も出ない上に視聴率もとれるので、商業的には最高のテーマでしたよね。

西原　まあ、雪や雨でも「命を守る行動を」ということが、仕事になってしまっているものね。

青山　インターネットの普及で、市場における存在意義が大きく減少した業界であり、再編やリストラがまだ進展していないのです。

マスコミが出す情報の価値が上がるには、しばらく時間がかかると思います。

◆実際ところワクチンってどうなの？

西原　なるほどね。支援制度もさることながら、問題点になってきている「ワクチン」についてはどう？

青山　「ワクチン」ですよねぇ～（笑）。これは今後の課題も残してますので、ぜひ皆さんで考えていただきたい問題です。

西原　社長は、コロナに罹ったのだっけ？

青山　ハイ、罹りました。

ただ、この話題について語る前に、私自身は、ワクチンは、コロナに対して多少は効果があると考えていました。よって、反ワクチン派ではないことを、明確にしておきたいと思います。
実は、ワクチン接種予定日の4日前に発熱し、陽性と分かったので、そのときに今後、ワクチンを打つべきかどうかについて考えました。徹底的に調べて、ワクチンを打つことがないままに現在に至っているという、そんな状況です。

西原　いつ予約していたの？

青山　ワクチンが出始めた頃の夏です。ワクチンは副作用があるのだろうけど、公衆衛生上は打っておく必要があるかなと、早々と予約をしていたのです。
しかし、実際にコロナに罹ったことで、自分の中で打つ意味が薄れてしまいました。併せてイスラエルのデータを調べたり、周囲に相談して打つのは止めました。

西原　まわりの意見はどうだったの？

青山　複数の医療従事者に聞いたのですが、賛否はちょうど半々でしたね。

西原　半々とは……。普通、半々なら打つんじゃない？

青山　半々でしたが、打たなくていいと言ってる意見の方が、より深く考えたような意見だったのです。打てという意見は、まあ打っておけや的な（笑）。

西原　医療従事者は、ワクチンはマストだもんね。
青山　それもさることながら、イスラエルのデータを見ていると、ワクチンはそんなに効果ないなと。自然に罹って治っている人の方が、ワクチン打っている人よりも強い、というような印象でした。
西原　そうだったんだ。でも普通イスラエルのデータを見ないよね。
青山　いえいえ。イスラエルは世界に先駆けてワクチン打ちまくっていましたから、これほど参考になるデータはないですよ。
西原　確かにそうだけど。日本では河野太郎さんが、ワクチンを8億本も調達したんだよね。
青山　当時は、ワクチンを調達することが至上命題だったので、それでいいと思います。
　ただ、打ち始めていろいろ分かったことがあるのに、ワクチン接種推進を止めないのは、間違っていると思います。
　国民もそれは分かっていて、結局4億本しか使っていません。
西原　たった4億本？　残りは捨てちゃうの？
青山　そういうことになると思います。ファイザー社の株主総会では、取締役が「ワクチンの利益率はきわめて高く、欧米でワクチンの接種をしなくなったけれども、日本があるので大丈夫。日本は最大の市場だ」と言っていたそうです。
　日本で、最大の利益をあげられるとも……。
　もちろん、ワクチンの研究開発費は膨大なものになるし、ワクチンの必要性がないということまでは言いませんが……。
　企業は、利益を上げるために存在する私的組織であって、株主は経営者に最大の利益をあげることや、株価上昇・配当の拡大を求めますから、このような経営者の言い分が、間違っているわけではありません。程度問題はあるにせよ。
西原　外国だと、当たり前に報道していることなのにね。
　マスコミも、製薬会社から、いっぱいお金をもらっているのかしらね……。ＣＭとか、宣伝費がなくなると、マスコミも経営に影響が出るだろうし。
青山　最近、コマーシャルでワクチン会社のコマーシャルをよく見かけますよね。スポットで何十億も投下しているようです。テレビ局としても、スポンサーの商売の邪魔になるような意見は言わないですよね。特に、公平中立を求められている訳ではないワイドショーとかでは。

西原　高齢者はいいとしても、子どもにワクチンを打つのは、デメリットの方が大きそうね。

青山　コロナ経済対策費は、２５０兆円以上になっていて、ＧＤＰ比では世界最大です！　これは国の借金であって、子ども世代に大きく負担がかかることになります。

西原　そうよ！　私たちが２人とも天国（？）に行ってから、子どもたちが大変困ることになる……。

青山　世界で一番コロナ対策をしているにもかかわらず、世界で一番感染者を出し、死者数を増やしている状況だと理解するべきですよね。
　しかし、この状況に対して「誰にも責任が発生しない」という状況なのですよねぇ。

西原　最近の死者は、ほとんどが明らかに寿命よね。

青山　ハイ。流行してるので、死期にたまたまコロナに罹った、という人は多いと思います。
　誤解を恐れずに言いますと、老人は生物学的には死に近づいている個体です。
　風呂に入っても、餅を食べても亡くなってしまうのです。もちろん、ワクチンの副反応がきっかけとなって亡くなる人も多いでしょう。

西原　ワクチンの副反応は、きつい人には相当きついみたいね。

青山　コロナ初期に死者が少なかったのは、日本の医療スタッフと設備の質と量が、世界一だったから

です。
まだよく分からない病気だったコロナに対して、全力で立ち向かった現場の医療従事者がいたからこそでした。
しかし、いろいろな立場の人にとって、死者数が多いという状況のほうが都合がいい、という状況でもあったのです。
つまり、死者が少ないと政策が大げさなことに文句を言われてしまうので、被害が多いことにしておいた方がいいということで、政府、マスコミ、ワクチン会社、コロナ関連事業社の利害が、見事に一致したのです。オリンピックの利権問題と同じです。

西原　みな、税金を全身で浴びてるわけね。

青山　そういうことになりますね。

西原　死亡数に関して、よく言われているのは超過死亡よね。

青山　まさしく、超過死亡はウルトラ大事だと思います。コロナ前の平均死亡者数と、この3年間の超過死亡を比べると、20万人以上多くなっているのですよね。

西原　団塊の世代で、ちょうど寿命をむかえる人が多いのでは？

青山　それもあると思いますが、それを加味したとしても多いですよね。
コロナ対策をここまでやって、コロナの死者を5万人に抑えたと言いながら、超過死亡が20万以上という状況は、コロナ対策の結果、何らかの原因でなくなった人が増えたということですので、本末転倒も甚だしいと思います。

西原　ワクチンも含め、薬はそもそも副作用がある

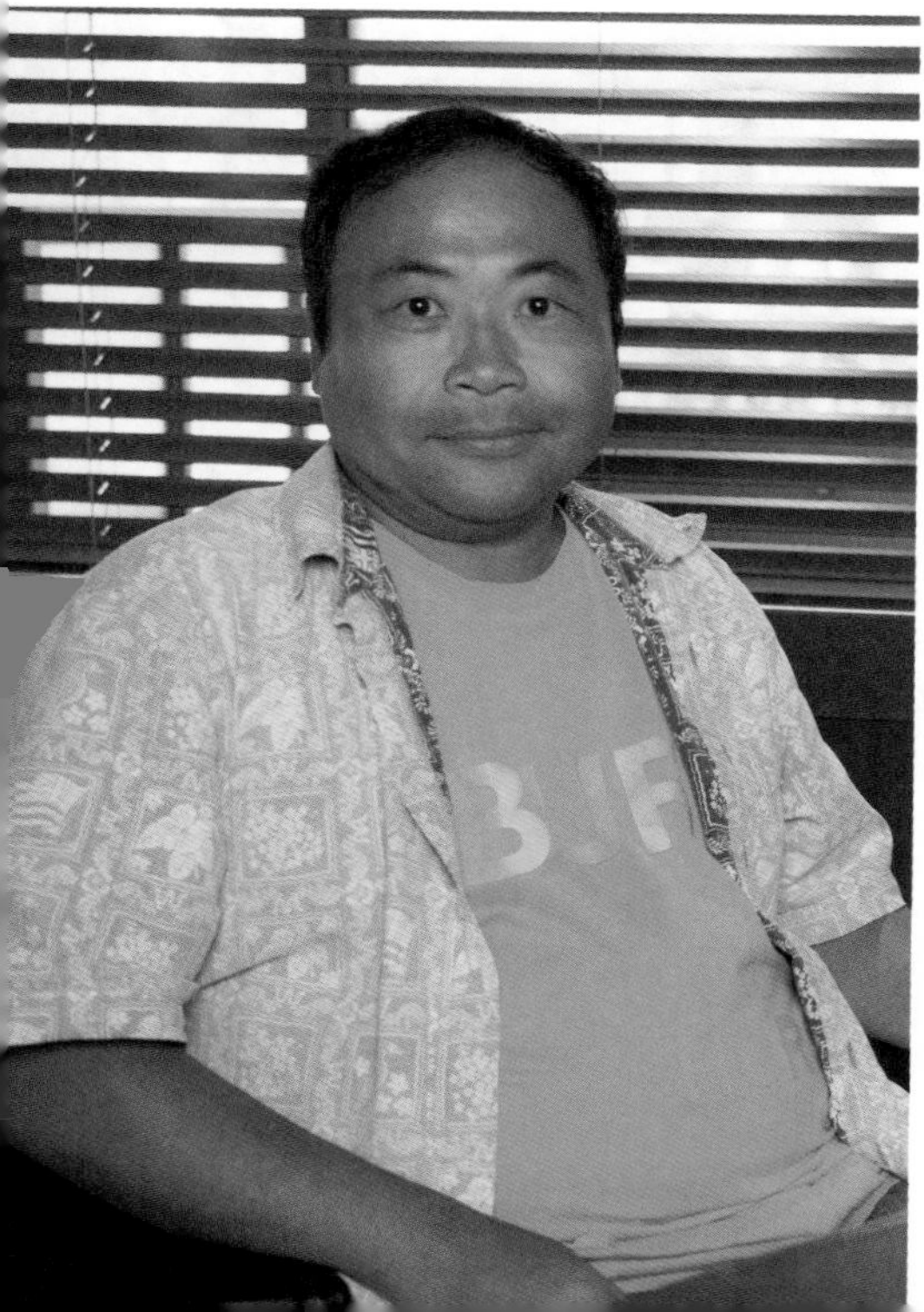

臥薪
嘗胆
こ、ここのコロナ禍の苦しさを忘れぬよう絵に描いておけと
御意
違う
あともうちょっとなんやあ
あともうちょっとの我慢でよその火鍋屋が全部潰れるんやあ
戦国火鍋統一
そのあとに残っとるのはワシの天下

ワシはどこまでも
こらえるでえ
ぐつぐつぐつぐつ
この世界一美味しい
火鍋を1ミリも変える
ことなく守り残すことが
ぷく
ワシの天啓
新メニュー始めました
カレー
火鍋も
いいけど
カレーもね♡
思っきり
ヨレてる
そう不安
みんな迷子
ずばあ
次々
新メニュー
出ております
どんどん
お店もどんどん
開店中
小肥羊へ
ようこそ

ものだよね。
しかし、使うことで死者数を抑えることができるはずなのに、超過死亡が増えている状況だなんて。

青山　ワクチンが原因で亡くなってしまった人については、最近では徐々に認められて、補償が出るようになってきました。

しかし、最初から副作用が出ることは想定されていたと思います。ワクチンによって、コロナに対しては耐性が強くなる代わりに、何らかの代償はありますよと。

薬とは、そもそもそういうものです。

西原　やはり、全体の死者数を見ると、何もしなかったよりも、増えているような気がするよね。

青山　ワクチンを打たなかったら、死者数は5万人ではなく、30万人になったと言われたら、水掛け論になるでしょうけどね。

肌感覚では、ワクチンを含め、特にコロナ対策をしない場合でも、コロナが原因で亡くなってしまった人は、5万人に収まってるように思います。

西原　なるほどね。

青山　死者数だけではなく、コロナ対策のデメリットはまだまだあります。

◆日本人は「責任をとる精神」を忘れた

青山　パッと出てくるだけで、この3年の間に亡くなった数百万人の晩年が制約だらけだったことや、体力低下、知力低下、対策費などで増えてしまった借金など……。

コロナでなくなった人のお葬式などは、悲惨としか言えませんからね。

西原　それらは、これからどうするの？

青山　みんなで、働いて、勉強して、カラダ鍛えて頑張るのみです。

西原　社長は、いつもシンプルね。

青山　ほとんどのことについて、結論はシンプルなんです。責任逃れしようとしたり取り繕うから、問題の解決が遠ざかり、ロスも増えます。

西原　医師会の問題も、大きいと思ったけど……。

青山　私も医師会が途中から出てきたので、違和感がすごくありました。いろいろな人に聞きましたよ。

西原　ほうほう、それで？

青山　あくまで個人的感想ですが、医者の世界も多様で多層的なんだな、ということがよく分かりました。

一口に医者と言っても、大学病院で最新の医療を行う医者たちから、大学の教授、開業医、勤務医、研究医など、いろいろとおります。

西原　かっちゃん（高須院長）は、開業医にあたるのかしら。

青山　そういうことになりますね。

ただ、高須先生は開業医でも自費診療なので、普通の開業医ではありません。普通の開業医は売り上げの7割は社会保険料で賄われています。

医師会は開業医の組合的な団体となり、自民党に年間2億円の寄付を行っている、最大の支援団体の一つです。

初期のまだコロナがよく分かっていなかった頃に、日本人の死亡率を世界一低くしていたのは、大病院勤務の医療スタッフでした。

コロナ禍の後半になって、医師会が前面に出てくるようになりましたよね。医師会はコロナを2類

小肥羊
全国で続々
営業再開しております
火鍋食べてみんなで元気になりましょう
くわしくはホームページで
この熱々の熱の夏
みんみん みんみん
小肥羊
ビール150円
何杯飲んでも150円
何でしたら飲み放題コース2名様ヨリ
そこに火鍋
ごーう
食べて飲んで食べて飲んで
止まらないループ
汁の迷宮
ごぶごぶ
ばくばく
もうそろそろ
と思ったら店員さんが極上スープをばんばんつぎたしに来る
どしゃー
あなたはもう逃げられない
追いスープ沼

ご自宅用もゼヒどうぞ
火鍋＋２色スープセット
この鍋見ためちょぼいけどIH対応
いいお鍋ですっ
びし
わけ入ってもわけ入っても青い山
青山浩
この苦難
皆様の笑顔が見たくてがんばっております
精力善用自他共栄
それ自分の高校の校訓やんか
激校
びし
人間到処有青山浩
でございます
夏鍋いかがでしょうか
お待ちしております

から5類に変更することについて、できるだけ遅くしようとしていました。しかし、その最中に自分たちはマスクなしのパーティーを開催していましたよね。そうなったのも、つまるところは政治家の責任だと思います。

パーティーを開催するのはいいとして、小学生に対して「食事中は黙って食べろ」と言いながら、自分たちがマスクなしでパーティーをやっていることは、明らかにおかしな行為だと思います。

西原　でも、日本人って本当にまじめで、政府の言うことをきちんと守るわよね。

外国では、ワクチン接種にしても、反対派がデモを起こしたり、自粛についても反対派が暴動を起こしていたわよね。

青山　江戸時代に、固定身分で平和で豊かな時代が300年続いたことと、江戸時代が終わる時も、武士階級の中での権限交代だったこともあり、平民には基本的に、政府（お上）を信任し続けてきたというDNAがあるのだと思います。

西原　他の国では、政府を信頼した結果、期待を裏切り続けられた経験から、自立自存が根付いているという訳ね。

青山　江戸時代に行政を担当していたのは、武士階級でした。武士の責任の取り方として切腹があります。そのような責任の取り方をする官僚機構は、ここ1000年、世界のどこにもありません。

西原　太平洋戦争が終わった時も、戦争指導者には逃げた人も多かったようだけど、自決した人もいたものね。

青山　自決が良いか悪いかは別として、「責任をとる」ということで言うと、究極の形ですよね。

第二次世界大戦下の日本の陸軍将軍で、マレーの虎と呼ばれた「山下奉文（ともゆき）将軍」は、戦犯として処刑されました。

しかし、教誨師《きょうかいし》の森田正覚に日本人へ向けた遺言を残しました。

彼が最後に伝えたかったことは、戦時中の彼の行いに対する自責の念と自由を尊び、平和を追求する新しい日本に対する要望です。

遺言は以下のような内容でした。

①倫理的判断に基づいた個人の義務履行

②科学技術の振興
③女子の教育
④母の責任

その際に、彼は敗戦を迎えてしまったことは、自らをはじめ努力不足であり、すべては自分たちの責任で、死んで責任をとることは全く当然であると考えていました。

しかし、敗戦の原因としては、明治維新後、日本人が調子に乗り過ぎてこの倫理観が欠如してしまい、日本が世界からの信用を失ってしまったことが、根本的な原因だと分析します。

敗戦により、民主主義化する日本人が得るであろう自由が、この義務の観念を気付かせることを難しくさせてしまうかもしれないと予測し、次のように語ります。

「自由なる社会に於きましては、自らの意志により社会人として、否、教養ある世界人としての高貴なる人間の義務を遂行する道徳的判断力を養成して頂きたいのであります。此の倫理性の欠除という事が信を世界に失ひ醜を萬世に残すに至った戦犯容疑者を多数出だすに至った根本的原因であると思うのであります。

此の人類共通の道義的判断力を養成し、自己の責任に於て義務を履行すると云う国民になって頂きたいのであります。

諸君は、今他の地に依存することなく自らの道を切り開いて行かなければならない運命を背負はされているのであります。何人と雖も此の責任を回避し

自ら一人安易な方法を選ぶ事は許されないのであります。こゝに於いてこそ世界永遠の平和が可能になるのであります」。

さらに彼は、「新日本建設には、私たちのような過去の遺物に過ぎない職業軍人或は阿諛追随せる無節操なる政治家、侵略戦争に合理的基礎を与えんとした御用学者等を断じて参加させてはなりません」と続けています。

そして、「前述の４つの義務の遂行を残された日本人に請願し、母の愛を子どもに惜しみなく与えることが子どもが大人となった時自己の生命を保持しあらゆる環境に耐え忍び、平和を好み、協調を愛し人類に寄与する強い意志を持った人間を育成することが不可欠」と述べて、最後に以下のように結びました。

「……これが皆さんの子どもを奪った私の最後の言葉であります」。

結局、最後は軍人扱いの銃殺ではなく、罪人扱いの絞首刑に処されてしまいました。

西原　気の毒ね。

青山　母の愛を受けた子どもは自立して、倫理観のある大人になり、義務の履行を通じて社会に貢献してくれるようになるはずだと。

一方で終戦時よりも自由な社会にもなるでしょうけど、自由をはき違えてはいけません。

自由と責任は表裏一体ですよと。

アヘン戦争後、植民地化される清国をみて、幕末の志士たちが開国と明治維新をして、富国強兵、殖産興業で列強に仲間入りしました。ところが今度は、逆に自らが植民地を求めて増長してしまいました。これを倫理観の欠如だと、表現したのだと解釈しています。

だからこそ、「いまとなっては是非もなく、自分はただただ死んで処刑されるのみだが、今回の事態を繰り返さないために、無能無責任な政治家とそれに根拠を与えるバカな学者を意思決定に関与させず、自由でより自己責任が強くなる世の中でしっかり生き抜いて、平和で豊かな社会を構築して欲しい」と。

西原　コロナに対する対処の仕方と太平洋戦争に対する対処の仕方の問題点が、病気と戦争という問題の違いがあるだけで、政治とマスコミと国民の対処が変わっていなくて、災害の被害拡大を招いた点は全く同じね。

ウクライナ戦争の背景にあることと、これからの世界について

◆戦争で利益を上げる武器商人たち

西原　コロナ感染症の行く末が見えない、2021年2月24日に、ロシアがウクライナに侵攻して、世界は大国の戦争を目の当たりにすることになってしまったよね……。

青山　そうですよね、誰もが平和を望んでいる中で、勃発しましたから、その衝撃は大きかったです。

　世界で戦争を前向きにやりたいと考えているのは、一部の軍人と政治家と武器商人だけではないでしょうか？

西原　武器商人は、昔は「死の商人」と呼ばれていたこともあったね。武器弾薬を取り扱うのは利益が大きいけれども、良いビジネスだとは誰も思わないからね。

青山　そうですね。

　昔、アメリカの南北戦争（1961〜1865年）が終わった後に、行き場のなくなった余った武器を、イギリスやフランスが、日本の幕府軍と薩長軍に売り捌いて大儲けをしたこともあったようです。

西原　社長の歴史・豆知識だ（笑）。

　戦争がなくなってしまうと、武器を作って儲けている商売人たちが、困ってしまうものね。

青山　現在でも戦争は、武器商人や戦争に関わる国にとって、必要悪なのかもしれません。アメリカ、ロシア、中国、イギリス、フランスなど、先進工業国の多くの国は、武器を輸出していますから。

西原　じゃあ、戦争は、ある意味で美味しいビジネス・チャンスってこと？？　許せないなあ……。

青山　そうです。現実にビジネスとして存在していることは、残念なことです。しかし、国際的な安全

保障を司っている国連でさえも、停戦させることができない状況になっています。
攻め込んだロシアの方でも、戦線が拡大し、膠着してきた現状では、ロシアでは徴兵逃れのために国外脱出する若者も急増していると、報道されています。

◆ウクライナとロシアの関係を理解することが大事

西原　そもそも、なぜ、ロシアはウクライナに侵攻したの？　日本のマスコミの報道では、一方的に、ロシアが悪者みたいになっているけれど？

青山　まず、ウクライナに関する基礎知識です（笑）。
ウクライナは、人口が４４００万人で日本の半分以下です。一方、国土面積は、日本の１・６倍程度あり、豊かな穀倉地帯が広がっています。戦争が起こってしまい、穀倉地帯から世界へ穀物が十分に供給できなくなっていて、世界で食料価格の高騰や食料不足が起こっています。

西原　ウクライナって、昔は豊かだったのね。世界の国が工業化すると、豊かさが他の国に移ってしまったという訳ね。
でも、世界の食料庫だから、戦争状態で輸出が止まると、日本の小麦粉が値上がって、物価上昇に繋がったのね。遠い国の戦争が、日本の家庭にも直結しているじゃない。

青山　そうなんです。いまは、すべてがグローバルな時代ですからね。
そして、ウクライナは、一人あたりのＧＤＰは、４０００ドルに足らず、日本の10分の１程度なのです。旧ソ連、東欧諸国からみても、貧しい国ということができます。貧しいと、人々の不平不満が高まります。
一方で、ウクライナの歴史的ルーツは、９世紀後半から13世紀半ばまで、東ヨーロッパに君臨したキエフ大公国です。いまのロシア、ベラルーシ、ウクライナといった国家は、いずれもキエフ大公国を文化的祖先としているそうです。
だから、ウクライナから見れば自分の国の方が本家であり、ロシアは分家、という意識になるのではないかと思います。

西原　へ〜え。ウクライナの方が歴史が古いのか！

青山　ロシア革命によって、ソ連という国ができた

1917年、ウクライナは豊かな農業地帯で、地主、農民は大きな力を持っていました。時の権力者、レーニンやスターリンは、共産党政権の確立のために、ウクライナ農民の土地を国有化しようとしましたが、激しい抵抗を受けます。彼らは農民を弾圧し、結果的に、激しい内乱状態になって、ウクライナは制圧されてしまいました。

西原 じゃあ、今の戦争は、2回目の弾圧なんだ！

青山 時代が新しくなって、1989年にアメリカ大統領のブッシュとソ連のゴルバチョフ書記長が冷戦終結を宣言して、1991年にソビエト連邦の崩壊に伴い、ソビエト最高会議の元から独立して新たな国家ウクライナが成立します。その後、ウクライナ国内で、親ロシア派と独立派が対立することになります。

冷戦終結当時、ゴルバチョフは、NATOが旧ソ連地域に拡大することを恐れて、当時のアメリカの国務長官（日本の外務大臣みたいな）であるベーカーに、ドイツより東に来ないことを念押ししています。公文書の記録まではないようですが、会談時の記録には、約束したというようなことが、残されているようです。

ところが、1999年 東欧のポーランド、チェコ、ハンガリーがNATOに加盟して、NATOは東に拡大していきます。2004年、ウクライナで親ロシア候補の大統領選挙での当選がひっくり返され、親欧米政権が樹立されます。当初、選挙で負けた方のシンボルカラーがオレンジだったので、「オレンジ革命」と呼ばれています。

西原　それって、アメリカのＣＩＡの陰謀じゃないの？　クーデターを裏であおったとかいう（笑）。スパイ小説の読み過ぎかな？

青山　まだまだ真相が分かるまでは時間がかかると思いますけれども、ロシアはウクライナに怒って、供給していた天然ガスの価格を値上げすることにします。それまで友好国だと思っていたからこそ、安価な天然ガスを供給していたのです。

ところが、ウクライナは自国を通って欧州へと繋がっているパイプラインを、勝手に使用するという荒技に出ます。そこで、ウクライナを通らない新しいパイプラインが、建設されることになるのです。

西原　なんだか、子どもの喧嘩の大人版みたいだな（笑）。でも、すごいよね。新しいパイプラインを作っちゃうなんて！

青山　ドイツやイタリアなどのヨーロッパ各国も、安価な天然ガスの安定供給に必死でしたからね。バルト海を通るラインが建設されて、いよいよ開通というところで、戦争でした。

その後、２００８年に、ＮＡＴＯ首脳会議の宣言に「将来のウクライナとジョージアの加盟」を記載したのですが、本当に加盟させると、ロシアが怒り心頭に発しますから、「将来」と婉曲的に、まだまだ先のことで分かりませんよというメッセージを、ヨーロッパがロシアに投げたということになります。ロシアに気を遣ったのですね。ヨーロッパは、天然ガスの30～40%をロシアに依存していますからね。

西原　そっか、それで、今回の戦争でも、ロシアと全面戦争でなく、何かしらヨーロッパはロシアに配慮せざるを得ないのね。アメリカとずいぶん態度が違うなと思ったわ。

青山　２０１０年から２０１３年に政権をになった新ロシア派のヤヌーコヴィッチ体制が崩壊したことをきっかけに、ロシアは２０１４年2月からクリミアに侵攻し、東部紛争が勃発しました。

この時に、ロシア国内のプーチン支持率は90％を超えました。戦争で勝利すると、国内での支持率がうなぎ登りになるのは、どの国も一緒です。

ウクライナのゼレンスキー大統領も、戦争が始まる前は、支持率が急降下、超低迷していました、しかし、戦争開始とともに、支持率が上昇傾向に転じて、欧米の支援も積極的に得るようにして、戦局が膠着状態から反転していくようになると、支持率は急上昇。戦争は、本当に恐ろしいです。

西原　本当にそうよね。毎日、直接関係のない人が、亡くなっていっているのに……。

青山　それで話をもどして、ロシアとウクライナは、２０１４年に緊張がかなり高まったのですが、２０１４年の9月と２０１５年の2月に、ベラルーシのミンスクで「ロシア、ウクライナ、ドイツ、フランスの4カ国首脳が、ウクライナ東部に広範な自治を認める」合意に達します。

ドイツとフランスの仲立ちで、何とか平和が保たれたということですね。

西原　平和になりかかったのに……。

青山　ウクライナ東部の住民の対立は、なかなか解消するものではないですからね……。民族的対立は、本当に難しい問題です。

２０２１年春以降に、ウクライナのＮＡＴＯ加盟を巡って緊張が高まり、ロシアが国境付近に10万人の兵力を集結させせました。

西原　一触即発の状態だったんだ！

青山　しかも、ヨーロッパとロシアの関係は、先にお話したように複雑でしたからね。

新しい天然ガスのパイプラインが完全に稼働すると、ウクライナの収入は減少します。ウクライナの大統領としては、ロシアに対抗するためには、アメリカに接近するしかなかったのでしょうね。

アメリカ側も、大統領選挙を巡るややこしい事情がありました。バイデン大統領の息子は、バイデン大統領が副大統領時代にウクライナ政策を担当していました。その時に、ウクライナの企業との疑惑がありました。その疑惑を、トランプ前大統領は、バイデン氏を大統領選で倒すために、ウクライナに情報提供を求めて、微妙なスタンスをとっていたのです。

バイデン大統領が選挙に勝ったので、アメリカは親ウクライナ政策をとることになりました。

◆どんな戦争でも背景は単純ではない

西原　戦争の背景って、本当に複雑だなぁ……。民族問題、それぞれの国の事情が、複雑に関係してくるんだ！

青山　戦争は、数多くの関係ない人々を巻き込んで不幸にします。絶対に戦争は避けなければならないことなのです！

人間、命あってナンボのモノです。

また、国のために国民が存在するのではなく、国民のために国が存在しているのですから。

西原　なんとか、停戦にならないのかしらね……。

青山　なかなか難しいと思います。ますます長期化しそうですね。

アメリカ側は、この戦争は民主主義対専制主義の戦いであると、キャッチーなコピーにしています。

しかし、プーチン大統領は、「西洋」が自らのルールを世界全体に強制し、それぞれの民族や文明の特殊性を否定している、と考えているでしょうからね。

そのように考えると、ロシアは、中国、イランなど、諸国の独自性を守る「普遍的な役割」を担う立場になっているとも考えられます。

ロシア、中国、イランなどは、日本でも自由を抑圧して、民主主義的でないと、評判はあまり良くありません。

しかし、世界的な社会人類学者であるフランスのエマニエル・トッド教授は、プーチンの考えはともかく一般論として、「西洋の価値観を世界全体に押しつけるのはいかがなものか」と問えば、むしろ多くの人の共感を得られる可能性もある、と指摘しています。

西原　本当に難しいわね。とにかく殺し合いだけは、避けて欲しい。

青山　「自立自存」の価値観を、世界の人々が共有できれば、お互いに殺し合うこともなくなると思いますが……。

西原　価値観の立脚点ね。

青山　仮に、プーチン大統領は、ウクライナ戦争を仕掛ける際に、ウクライナはロシアの属国であると考えており、「真の皇帝は、武力を行使する権利、そして正式な国際法の規範を覆す権利を有する」と信じ込んでいたのではないか、とも考えられます。

国際連合の無視にも繋がりかねない考えです。

彼は、ロシア語を話すウクライナ国民は、雪崩を打つように降参すると思っていたのかもしれません。

ところが、ウクライナ国民は、攻め入ったロシア軍に対して逃げることはなく、政府も屈しませんでした。これはゼレンスキー大統領が仕掛けた政治的ギャンブルの成功、ということかもしれません。

いずれにしても、ゼレンスキー大統領は、民主主義という言葉を最大の武器にして、欧米社会の圧倒的支援を得たのです。

そして、欧米社会の軍事産業が、戦争によって多大な利益を得ているということも、また事実です。

西原　戦争が起こってしまったら、それぞれの国が大義名分を打ち立ててるから、戦争を止めることが難しくなってしまうのよね。

青山　プーチンは、時代遅れの帝国主義者であると、私は感じています。世界はまた帝国主義の時代に入ったと分析する人もいます。

私は、帝国主義が都合がいいというのは、政治家や軍人など、国家という枠組みの必要性が高い人たちだけで、これからの時代にはそぐわないと思っています。

◆変化を恐れず、時代に合った考え方を！

西原　それは、いったいどういうこと？

青山　世界の人の価値観は、すでに領土・領海ではなく、自分たち一人一人がいかに幸せに生きるか、という方向性に向かっていると思います。

前にも軽く触れましたが、人類は昔から国家を形成し国王や将軍に権力を委ね、社会生活を営んできました。

科学技術や文明の発展がなかった頃は、外敵から身を守り、食料などの資源を効率よく配分するために、その仕組みが必要でした。

西原　それは、そう思うわ。

青山　しかし、文明が発展していろいろな物が充足してくると、権力をゆだねる必要がなく、自由に生きていっても大丈夫なようになります。

例えば、ＬＧＢＴについては、昔のキリスト教ではタブーでした。

女性も、社会に出るよりも、家庭内の仕事を全力でやることが正しいという理屈でしたが、どんどんと女性が世の中に出てくるようになりました。

西原　それは、こじつけじゃないの？

青山　そうかもしれません。宗教の戒律やタブーは、集団の維持のために必要でした。

しかし、神が禁じていることにしないと誰も守ることでできないから、作られたのではないかと思います。

西原　ちょっと、説得力出てきた気がする（笑）。

青山　中世のヨーロッパでは、カトリック教会が強く、一般民衆のロイヤリティは、教会に向けられていました。

それが、次第にヨーロッパ全域において各民族を中心に国家というものが形成され、国家権力が出てくると、各国の王様は教会と対立するようになっていきます。

西原　「どっちが偉いんじゃい！」ってことね。

青山　ハイ。支配される側からすると、「どちらがより自分たちのためになるのか？」「どちらが身体を張る価値があるのか？」ということだと思います。そうして、王権と教会の対立が元で起きた事件が、『カノッサの屈辱（１０７７年）』と呼ばれる事件です。

西原　聞いたことあるような気がする。

青山　ドイツの王様が、教皇に無断で教会の司祭を任命してしまい、そのことに腹を立てた教皇が王様を宗教上破門します。

それを契機として、ドイツ内で王様の反対勢力が王様に反抗し始めたので、王様は教皇に謝罪をして事なきを得ます。

西原　日本の貴族と武士に似てるわね。

青山　そっくりですよね。日本では宗教というものがそこまで必要ではありませんでした。宗教勢力の分も含めて、貴族が支配力をもっていました。

　徐々に、御所の警護役だった武士が台頭し、源平合戦に勝利した源氏の源頼朝が鎌倉幕府を作ると、朝廷と対立していくようになります。

　庶民にとっては、支配する側に求め出したことが、「家柄や権威ではなく、より実質的な武力による安全保障」へと、変わっていったのだと思います。

西原　なるほど。「守護と地頭」「自民党の衆議院と支部長」みたいなものね。

青山　カノッサの屈辱では、王様は一旦腰を折ったものの王権に庶民は依存性を高め、カトリック教会の勢力は、王権に押されて行くことになります。

　そして、王様は自分たちが庶民を支配する理論的根拠として、『王権神授説』を重宝するようになります。

　この『王権神授説』については、16世紀のフランスの法学者・経済学者である「ジャン・ポダン」が、初めて唱えたとされています。

西原　どういうこと？

青山　分かりやすく言えば、「王様は、自分たちが支配する側にいるということは、教会にもらった権威ではなく、神様から直接もらったのだから、俺たちの方が教会より偉い、ということでヨロシク！」という感じでしょうか……。

西原　分かりやすい。

青山　その頃の庶民は、カトリックの厳格な教えや戒律が、かつてほどの必要性もなくなっていたこともあって。窮屈だと感じていたのだと思います。
そして、より戒律の弱い実質的な新教（プロテスタント）が出てきて、宗教サイドは宗教サイドで割れ、王権は周辺諸国との争いが激化したことで強化され、「絶対君主制」の王様が出てきます。

西原　その王様たちが、各国の利権獲得のために植民地を求めて侵略したり、国単位で争うようになったのね。

青山　昔のヨーロッパは、ローマ帝国とその他未開な地でした。それらが徐々に集落ができ、まとまりが大きくなって、国のようになっていきました。その頃は、教会の教えを守ることが相互の安全保障にも役立っていましたが、文明が進み、より実質的な武力で支配するようになり、封建国家ができます。
日本で例えると、守護と地頭ですね。守護の中から、あるいは有力な地頭の中から戦国大名が出てきて、貴族は没落していきます。この流れと一致しているかと思います。

西原　ヨーロッパで絶対君主が登場したとき、日本ではどういう状況だったの？

青山　ヨーロッパで、カノッサの屈辱などのように宗教勢力と封建領主の間で争いが起こっていた頃、日本では建武の親政など、公家勢力と武家勢力が争っていたので、構図はそっくりですよね。
公家に対して武家が優位な立場となり、守護大名、戦国大名と武家同士が争い、封建領主の争いをほぼ制したのが「織田信長」です。
しかし、統一国家成立を目前にして、明智光秀に討たれてしまいました。そう考えると、日本で最初の統一国家の絶対君主は「豊臣秀吉」、ということもになるかと思いますが、豊臣政権は、封建領主連合政権とも言えます。

そのため、豊臣秀吉の没後に江戸幕府を開いた「徳川家康」が、実質的な専制君主ということになるかと思います。

ところが江戸幕府も「朝廷を奉じつつ国政を担う」という二元的な権力構造で統治を行ったので、ヨーロッパの絶対君主とは若干趣は異なると思います。

その後の明治維新で、明治天皇を君主とする一元支配的な帝国が、でき上がることになります。

西原 ヨーロッパの絶対君主は、海外に植民地を求め互いに戦争をして、国単位で争い続けたのね。

青山 ヨーロッパではオランダ、スペイン、イギリスと、時代時代で覇者が変わって行きました。そしてアジア、アフリカ、南米の植民地化を進めることになりました。

中でもイギリスは、「太陽の沈まぬ帝国」と呼ばれるほどに勢力を拡大しました。アメリカ、カナダ、オーストラリア、インド、シンガポール、インドネシアを支配し、アジア地域の植民地支配は太平洋戦争まで続くことになります。

西原 絶対君主も、イギリスは別にしてどんどんいなくなっていったのよね。

青山 庶民の側にとっても、植民地を増やして生活を楽にしてくれる君主には、意味ある役割があるものでした、

しかし、そうでない君主は、窮屈な存在であるだけで、うっとうしい存在ということになります。

そして、王様は神様から支配権をもらったと言っているけれど、そんなにご大層なものじゃない、俺たちとの契約なんだ、という思想が生まれてきます。

これが、「社会契約説」と呼ばれるものです。

17〜18世紀の代表的な思想家は、ホッブス、ロック、ルソーなどです。

西原 民主主義の香りがしてきたわね。

青山 その通りです。しかしこの流れから、フランスでは大事件がおきます。

西原 ベルサイユのバラね（笑）。

青山　そうです。１７８９年のフランス革命です。フランス革命は、周辺の王様に衝撃を与えます。

何しろイギリスにとって、自分たちもやばい立場になる話ですから、フランス革命の影響が自国に及ばないように、フランスの革命勢力を打破するためにヨーロッパ諸国と「対仏大同盟」を結んで、革命政権の打破を目指します。

しかしながら、各国それぞれ独自の思惑が影響して真剣に戦わなかったために、目論見は失敗し、逆にフランスに「ナポレオン」という英雄を誕生させてしまうことになりました。

西原　本当に面白い。すべて原因があって結果があると。

青山　フランス革命は、絶対王政でフランス国王と貴族が国家財政を破綻させるまで贅沢をして、税金は無限に湧いてくると思っていたのでしょう。

引き受け手がなくなった国債を、中産階級に引き受けさせようとして反発した市民階級との話し合いがもつれにもつれ、最後に国王が強権を発動しようとしたけれども失敗して、革命が勃発しています。

市民が強くなり、専制国家の必要性がなくなる一方で、無駄遣いばかりして存在意義がなくなった勘違いの王様を、民衆の力で排除することになったのが「フランス革命」です。

絶対君主がいた頃の国家の必要性と、現代の国家の必要性を比べると、現代の国家の必要性は明白に減少していると、私は思います。

また、フランス革命の結果、フランスでは「憲法」が制定されました。

◆憲法と歴史的背景！

西原　憲法って、フランス革命の後にできたのが最初なのね？

青山　厳密には、アメリカの憲法が１７８７年、フランス革命と人権宣言が１７８９年、フランスの憲法制定が１７９１年になります。

憲法の制定は、フランス革命前後の市民意識の向上が大きく影響しています。

憲法とは、国家権力と国民の間の権利関係を調整する法律なのですが、フランス革命までは国家と人民は隷属関係にありました。

王権神授説によって統治する権限を与えられた王様が人民を支配する、という関係でした。

しかし王権神授説は否定され、主権は市民に存在し、国家は市民から権力の行使の委任を受けているのだと、明確に定義されます。

西原　昔は教会、そして王様に移って、最後に市民ということね。

青山　ハイ。日本でも同じような流れで、貴族から武士に。そして、明治天皇に移って、昭和天皇の時代に敗戦後にできた憲法で、国民に移っています。

西原　なるほど。税金が無限に湧いてくると勘違いしていることと、国債の引き受け手がなくなって市民に税金をかけているというのは、今の日本も似たような状況ね。

青山　日本もアベノミクスによる金融緩和とコロナ財政出動、さらに防衛費増額で将来の負債は積み上がる一方で、社会保障費などの支出は抑制が遅れています。

いつか市民階級から生まれてくる革命もありえるかもしれませんね。

日本は、やはり江戸時代の絶対君主とほぼ同じ位置にいた幕府が、「失敗したら切腹やで」という官僚の立場に対してきちんとした統治をした結果、武士以外の階級が政治に関心を持つ意味や必要がなくなりました。そして、その精神は、現代にまで受け継がれているように感じます。

結果的に国民は、政府を妄信してしまうという状況になっています。第２次世界大戦での敗戦後、国民サイドから政府に対する突き上げの動きというのは、ほとんどありません。

現状の日本の危機において、国民の思いが頂点に達し、「自民党が分裂する」か「維新の党が中心となって、政権交代が起こる」可能性は、十分にあり得ると思います。

西原 あれ？ 社長は維新の党や橋下さんは、大嫌いじゃなかった？

青山 嫌いとかではありません（笑）。私が批判してたのは、都構想や初期の維新の、割と粗雑な行動です。

西原 橋下サンは？

青山 私の想像ですが、橋下さんは都構想やれなくて本当に良かったと、ホッとしてると思いますよ。やってもうまくいくわけないですから。

「西成区の名前を変えるのは正しいと思いましたけど、都構想は手間だけかかってリターンがないのです。

いろいろな方からの批判を真正面から受け続けて来た影響だと思いますが、最近のテレビで拝見する橋本さんは、昔とは全然別人です。

西原 維新は猪瀬さんも入ったりしているしね。

青山 党も初期とは全然違うと思います。

◆領土という感覚！

青山 それはさておき、国家の必要性の話ですが、国家の定義は「領土・領海・国民」です。

プーチンは、ウクライナは自分の領土と思っていたんだと思います。あるいは領土にしたかった。

西原 私は領土なんかいらないけどな。

青山 ウクライナとロシアの感覚で考えると分かりづらいのですが、北方領土を例に挙げれば分かりやすいかもしれません。

北方領土は、日本人から見れば、「欲しい」というか、「返してもらいたい」と思っています。

西原 それはそうよね。

青山 では、樺太はどうでしょうか？

西原　全くピンと来ないわね。

青山　樺太は、第2次世界大戦前では、半分は日本の領土だったのです。

樺太の南半分と千島列島を交換して、樺太はロシアの領土になりました。そのため、北方4島だけではなく、千島列島も日本の領土だったと言えます。

西原　なるほど。考えたこともなかったわ。

青山　さらに言うと、カムチャッカ半島はどうでしょうか？

西原　それは完全にロシアじゃない？

青山　その通りだと思います。では、カムチャッカ半島を日本の領土にできるとしたら、それは嬉しいですか？

西原　別に全く嬉しくないし、欲しくもないわ。

青山　ですよね。しかし100年前の日本人は、欲しがったと思うのです。

西原　そう考えると、領土というものの価値も、そもそも国家の存在意義も、時代の価値観や文明の発展で、どんどん変化していっているのね。

青山　帝国主義の時代は、領土や植民地が大事で軍隊が重要だったと思います。しかし今は、時代が変わっています。劇的なスピードで。その中でプーチンや年老いた独裁者が、価値観の変化に対応していないだけのように思うのです。

西原　戦争で犠牲になるのは、兵士はもちろんだけど、一般市民よね。

青山　一般市民で、「相手国の領土が欲しい」とか「相手国の市民を殺したい」と思っている人は、ほとんどいないと言っていいでしょう。

ジョージ・オーウェルというイギリスの作家が1950年頃に、すでに「現代の戦争は、支配層が自国の被支配層に対して仕掛けるものである」と言っています。

国家というものの存在意義が薄れている中、支配層は、自分たちの地位を担保するために、戦争を利用していると。戦争で利益を得るのは、支配層と軍人の幹部と武器会社だけだと思います。

西原　国家の存在意義が頂点だった頃は、絶対王政でまとまった強国が、国単位でまとまって植民地獲得競争をしていたのよね。

だけど、第二次世界大戦、冷戦の終結を経て、国家の存在意義が薄れてきた中でも、プーチンは相変わらず帝国主義者であるということね。

青山　帝国主義の反動というかプーチンが価値観を醸成した時代は、冷戦真っ只中だったと思うのです。そして冷戦が終結して、プーチンがどういう思いでロシアを運営してきたかと考えれば、昔日の栄光を追うのも分かる気がします。

プーチンが思っている栄光は、もはや現代の人には迷惑なんですけどね。存在意義が薄れた組織が組織の維持延命を考えると、周囲に迷惑をかけることになります。

ジョージ・オーウェルの「現代の戦争は支配層が自国の被支配層に仕掛ける」という分析は、極めて明快であると思います。

◆日本では、国の組織崩壊に対する国民の危機感が薄い！

西原　存在意識の薄れた組織か。日本の政治家やマスコミも同じようなものかもね。

青山　ここ30年、政治は結果を全く出さず、情実人事を行い、価値観を劣化させ、債務だけを増やし、国民から希望を奪い、迷惑をかけています。

マスコミも、インターネットに市場をとられ、内容の薄い番組というか、マイナスのスポンサー誘導番組を流し、国民の判断力や時間を奪っている状況です。

業界の一流だった人ほど、番組がつまらないというか、存在意義がなくなっていることを理解していると思います。

西原　ＢＰＯは、グーグルが作ったのかもね。毒饅頭。

青山　私もそう思ったので調べたのですが、読売新聞が中心となって作ったようです。

西原　へー。マスコミサイドでもいろいろな立場の意見と行動があるものなのね。ところで、第三次世界大戦が起こる可能性はあるのかしら。

青山　私はないと思っていますけど。今後、世界が争うとしても、その目的はお金とエネルギーだと思いますから、関税率と法律をめぐって争うだけで複雑な対立軸がない分、世界戦争にはならないような気がします。

利権を巡って争うことを世界大戦というのであれば、冷戦終結後、急速に経済的に成長してきた中国の登場と共に、すでに始まってるのでしょうけどね。

そもそも物理的に戦争を始めたら、今の兵器の性能では、そもそも人類が半減くらいはするでしょう。だから、やる意味がないということになります。

しかし、理屈でうまくまとまらない場合は、物理定期な戦争が勃発する可能性はありますが……。

西原 なるほど。衝動的な感情が、戦争を勃発させる可能性もあるものね。

青山 ハイ。アメリカ、ロシア、中国のトップがおかしくなる時が、核戦争が起きる一番可能性のが高いタイミングでしょうか……。

一方、ウクライナ問題もさることながら、ウクライナ戦争を見て、わが国で考えなくてはいけないのが台湾問題です。

西原 ウクライナで大国の利害に振り回されて戦争が起きたわけだから、東アジアでも同じことが起こる可能性はあるよね。

青山 台湾問題を考えるときに、まず考えなくてはならないのが、「中国の主張と台湾の主張」「アメリカの主張と台湾の歴史」だと思います。

西原 台湾、台湾って騒がれ出したのは、ここ最近だものね。なぜ急に騒がれだしたのか、正直なところ不思議だった。

青山 中国が台湾に戦争を仕掛けるのではないかと危惧されていますが、台湾の歴史をきちんと学ぶ必要があると思います。

もともと台湾は、中国であったわけです。

それが日清戦争で日本の植民地となり、第二次世界大戦の後に中国で、国民党と共産党が争い、共産党が大陸で勝利しました。

そして、1949年に「中華人民共和国」が誕生し、敗れた国民党は台湾に渡って台湾を支配しました。

共産党は、台湾を攻めるよりも、朝鮮半島で起きていた「朝鮮戦争」に全力をあげるようになり、台湾は放置されたのです。

そうしている間に、アメリカの支援を受けて資本主義の独立国家のカタチを保ってきたのが、現在の「台湾」です。いわば半国家・半自治政府のようなものです。

そして、長い年月が経過し、今のところ台湾の国民は、自由と資本主義を選択して中国共産党の支配下に入るのは嫌がっています。しかし、中国側が武力統一しようとすることは、多くの中国人にとって許容しがたいことだと思います。

ただ、中国共産党の幹部の中には、武力による結果だとしても、「統一できるものならそうしたい」と考える人は、いるのかもしれません。

西原　同じ民族で戦争って……これ以上の悲劇はないと思う。

青山　1980年代以降、中国は自国の経済発展が忙しくて、時々砲撃するくらいで台湾を放置していました。

しかし、経済の成長に伴い、軍事力が強くなって来ます。そして、迎えた習近平政権で、まず香港をイギリスから取り戻し、次は台湾……となっているわけです。

西原　習近平は、領土が欲しいのかしら。

青山　習近平もプーチンも、それぞれ台湾やウクライナのことを、日本人にとっての北方領土のように思っている程度ではないかと思います。

ただ、それを取り戻すために、プーチンは軍事力を行使しています。

では、習近平はどうでしょうか？　軍事力を行使する所が、価値観が離れすぎていて理解できないのだと思います。

西原　「朝青龍と横綱審議委員会」みたいなものね。

青山　それぞれが正義ですので、力づくで争うしかなくなってしまいます。

香港の話が出ましたが、香港がイギリスに割譲される原因は「アヘン戦争」です。

このアヘン戦争で、欧米列強が中国を植民地として出したのを見て、日本では尊王攘夷などと言ってる場合ではなく、開国して幕府仕切りではない天皇親政の新政府一択だということになって、明治維新のきっかけとなりました。

西原　中国が最初にとられた植民地が、香港だよね。

青山　「アヘン戦争（１８４０〜１８４２年）」が起こったきっかけについて、お話しましょう。

当時の「イギリス」は、中国から茶、絹、陶磁器など、大量の商品を輸入していまし。その結果、中国に対して多額の支払超過が起きて、国内の金銀が中国に流れ出ていました。分かりやすく言えば、貿易赤字です。

そのためにイギリスは、インドで生産したアヘンを薬として中国に輸出して、アヘンで得られた金銀で貿易赤字を解消しようとしました。

アヘンは「薬ではなく麻薬」なので、それを止めようとして清朝の役人がアヘンを焼き捨てたことから、イギリスが中国に戦争を仕掛けたのです。

西原　大義名分は、もはやどこにもないわね。

青山　その時代は、帝国主義真っ盛りの中盤ですから、そのような行為が当たり前だったのでしょう。

国同士の価値観が違うということは、そのくらい違うということです。

分かりやすく言うと「弱肉強食」ですね。

西原　アヘン戦争で負けて、香港はイギリスに奪われ、台湾は日本に取られたと……。

青山　そういうことになります。戦争後、空白地になったところに、共産党にとっては「反政府ゲリラ」とも言うべき国民党」が住み着いて、実効支配して現在に至ると……。

西原　台湾の後は、尖閣諸島と言われているけど。

青山　どうでしょうね。欲しがるのかもしれませんが、その際には、日本としても「戦闘して守る」ということが、当然かもしれません。

コロナやっと段階解除
青山社長〜
お元気ですか〜?
会社もお元気で?
7月火鍋チャンネルでやっと再会
元気
見事黒青山
いやだって小肥羊グループ全店営業自粛
社長としてどんなに心労があったか
すっペーーん
する事ないんでー
グッシュー
ずっとゴルフしてましたー

だって家賃とか従業員さんの休業手当てとかの支払いとか
考えただけで心臓止まる
毎日マイナス200万円
うぉあーー
今日でちょーどマイナス2億円
2億
損する事以外なんもする事なくて
ぐおー
毎日良く眠れてました
だって小肥羊の社長やる前はもっと巨額のマイナスのあんな事やこんな事が
うぇーぃ♪
うぇい♪
気がつけば2億くらいでは動じぬ丈夫な身体にすくすく育ち
ずんどこずんどこ
黒青山イカスぜ
明けないな夜はございません
小肥羊日本全国各店舗ゆっくり開店し始めております
ただ今極うま薬膳スープに青山社長の大赤字が効いて美味さマシマシ

◆台湾が中国に攻められたら、日本はどうするのか?

西原　もし、台湾が中国に攻められたら、日本どうすべきなのかしらね。

青山　まさにそこです。

今、台湾は攻められると言っていますが、果たしてそうなるでしょうか?

攻める、攻めると皆が思っていますが、主な関係者であるアメリカ、中国、台湾、日本それぞれの優先事項を整理し、現状を分析し、場合分けをして、対処策を考える必要があると思います。

西原　攻められないの?

青山　まあその前に、各国の思いを整理してみましょう。中国が、「台湾は中国に戻って来るのがいい」と思ってることは、間違いありません。それに際し、コストがかからずに戻ってくるのがベストです。

西原　コストがかからない?

青山　台湾の過半数の住民が、統一を願う。これがベストですね。

一方、台湾の過半数が統一を願わない場合に、中国から工作として考えられるのが、過半数が統一を願うように贈り物をすることです。贈り物が叶わない場合は、戦争を仕掛けます。

西原　物をくれる人が好かれるって、仕事の話でも話していたよね。

青山　住民にとっては「どちらが自分たちを幸せにしてくれるのか」ということだけですからね。

台湾という国が「独立国であることに価値をおく人」「裕福になれるのであれば中国でいい」と思う人など、いろいろだと思います。

しかし、その場合は贈り物の代金と、戦争に勝利するためのコストと、戦争勝利後の統治の難しさというコストが残ります。

そもそも中国は、戦争には勝利できないと私は思っていますが……。

西原　台湾としては、どうなの?

青山　現在のところ、住民のみなさんは民主主義的な自由さを重視して、統一されたいと思っていないことは明らかです。
今後どうなるかは分かりませんが、20％程度の住民は、統一されてもいいと思っているようです。

西原 20％も？

青山 意外だと感じるかもしれませんが、我々に入ってくる情報は偏ってますので、それを前提に自分でいろいろ調べた方がいいと思います。
ただし、20％しか現状はいないということですので、ほとんどの住民は、「現状維持」がいいと思っていることになります。
台湾の国家運営は、うまくいってると言えるのではないでしょうか？

西原 アメリカは？

青山 アメリカは、アジア地域における安全保障の観点から、台湾は中国への前線と考えていますので、それが中国にひっくり帰るのは看過できないと思っています。ちょうどプーチンにとってのウクライナが、ＮＡＴＯにひっくり返りそうになって、戦争が発生したのと同じですね。
アメリカは、中国が台湾を武力統一しようとするなら戦争をいとわないでしょうが、その際にアメリカ兵の損害は、極小にしたいと思っています。そして戦争になれば、米軍単独だとしても、もちろん勝利すると思いますが、自衛隊を加えればアメリカ兵の損害を抑えることができるでしょう。

西原 本当に米軍が勝つかしら？

青山 まず間違いないと言っていいでしょう。アメリカ海軍は、世界ダントツの戦力であり、二番目は日本の自衛隊です。仮に、日本が積極的に関与するとした場合、この両海軍相手に島国である台湾を通常戦力で占領するのは不可能でしょう。

西原 専門家が、テレビ番組で互角のような言い方をしていたけど。

青山 ウクライナにロシアが侵攻してきたとき、私はあっという間にウクライナが負けて終わると思っていました。しかし、陸続きの戦闘でも戦力的に優位なロシア軍が苦戦したのを見てると、海を隔てていたらまずもって難しいなと思ったのが一点。
あと、台湾問題についての番組については、番組ですからね、西原先生。簡単に結論が出たら、尺がとれないじゃないですか。後番組に出る人も圧勝やと言えば、軍事費も減るし、番組に呼ばれなくなるかも知れません。

西原　本当？　でも、社長は軍事専門家ではないでしょう？

青山　そうなんですけどね（笑）。はっきり言って肌感覚ですがね。軍事や外交の専門家からすると腹立たしいでしょうが、私のような専門外の人間の考えでは、プロを標榜する政治や外交の人間なら、これだけ豊かに技術も進んだ現代社会において、いい加減に戦争とか軍事投資を無くせないまでも、減らせよと言いたいものです。

西原　説得力があるような、無いような。

青山　さて、我が国日本についてです。日本は台湾に中国が攻めてきた場合、「関与しない」という選択肢と、「関与する」という二つの選択肢があると思います。

西原　「関与しない」という選択肢は、確かにあるわね。テレビでは、「関与しない」という議論は一切出ないわよね。でも、関与しないで台湾を取られたら、尖閣諸島も取られるんじゃないの？

青山　尖閣諸島の話が、台湾とリンクするのかしないのか分かりませんが、仮に「来たら戦う」と決めておけばいいんじゃないですかね？

日本は台湾に関与しなくても、米軍と台湾が連合すれば、中国に勝利すると思います。

しかし、関与しないとアメリカの機嫌を損ね、台湾に薄情と思われるのであれば、関与する方が現実的です。

その場合の費用対効果を最大限にする関与の仕方を、政治的に詰めるべきだでしょう。

西原　日本にとってのコストって？

青山　主に、自衛隊の方々の命です。

西原　戦争に参加すれば、命を落としてしまう方は出てくるものね。

青山　アメリカが台湾防衛に勝利すると、中国に対して優位に外交を進め、武器は売れ、国威は高まるメリットがあります。

しかし、日本にはメリットがないでしょう。ただ私としては、戦争は起きないと思っています。

西原　テレビに出ているほとんどの人が、10年以内に戦争が起きると言っているけど？

青山　起きる確率は、10％もないのではないでしょうか？

ただ、一つだけ……私が「戦争は起きない」と言っているのは、前提条件があるからです。

西原　どういう？

青山　中国軍がアメリカに勝てない状況が、続くことです。

西原　中国は、負けるから台湾には結局手を出さないと……。でも、中国が脅威だと、みんな言っているわよ。

青山　それは30年前と比べれば、現在の中国の方がはるかに強いでしょう。

しかし、米軍と日本の自衛隊海軍を相手に勝利して、輸送船団を組んで台湾を攻略できるような国は、世界に一つも存在しないでしょう。

ロシアは圧勝できると踏んで、ウクライナに侵攻しましたが、勝敗は全く分かりませんよね。

台湾を巡っては事前予測で、中国が劣勢であることは明白です。このまま中国が軍事投資を増やし続けていけば、10年後にはまた相対的な戦力差は埋まっているかもしれませんが……。

勝てない戦いを挑んで住民に反感を持たれるのは、中国にとって愚の骨頂でしょう。

よしんば勝てるとしても、同じ民族である台湾の方の感情を逆なでしてまで占領することは意味不明ですよね。台湾の統一派が50％くらいになったタイミングで、たくさんの贈り物をして統合するのが、一番コスパがいいのではないでしょうか？

西原　この本が出てから何年かで、社長の予想が当たるか外れるか分かるわね。私はもちろん当たって欲しいけど。

青山　当たるか当たらないかは置いておくとして、日本としての対処方針をどうすべきか、政府任せではなく細かく綿密に決めておくためにも、国民一人一人がキチンと情報を分析して考え、意見を持つことが大切だと思います。

もっと言えば、私は中国においても、30年以内には総選挙が行われるようになると思っています。

世界中
日本中が
しーんと
している
小肥羊
青山社長の
お店も
ふだんなら大賑わいで みんな笑って 大声で飲んで食べて
幸せ鍋の風景だったのになあ さびしいなあ 悲しいなあ
元気でございます
昨今、見たことの無いような荒れ場でございますが
びよ
青山浩 元気で全力で仕事してます
うまくいかなくても 私のお金が無くなるだけです
だから 大丈夫
よっ 日本一の 鍋男

そして日本のプロフェッショナリズムは医療の世界にありました
本当にありがとうございます
尊敬の念しかありません
呼んだ？
灘校の同級生医者ばっかで今、みんな立派に現場に立ってて
政治家目指してて知らんかった
呼んだ？
お前は呼んでない
では疫病退散を願いまして
アーオビエ
サイビエ
自分で言うのも何ですが漫画界一しっくりきてるのは私
お店開けましたら超サービスします
必ずお元気で
食べて飲みましょう

だっ大丈夫っ このまま いけばきっと黒字になるっ
がんばれ俺 キャンペーン中
青山君 七億の 赤字を かかえ ひるみ まくって おりますが
それでもやります 激安営業
ここは 私も
こっ こっこっ こっこっ
鍋汁一気飲み
うまーい
そうなんです ココ横浜には最古参
伝説の鍋師がおるんですわ
この汁で 米炊きてえ
こんな 汁に
出会いたくないか 横浜
ちなみにお横浜の 駅前
うちの店の 手前に ちょー 有名な 別の 火鍋屋が あります
間違えるでないぞ
小肥羊へゼヒ
バチバチですわ
その後は 中華街 とか 行って よし
まだ タピオカ屋 とか あるし

お横浜
何だこの臭な人の塊は
さすがお横浜様 リベンジ消費の人達が洪水
ネットで今調べたら横浜パン祭りで15万人
しかも入場料とる
やっと訪れた春に
粉とか食うなバカモノ
そこは肉だろー
春はあけぼの
小肥羊の肉々春コース
めっちゃゴーカ4000円コース & 金券キャッシュバック そして生ビール280円祭り
飲み放題ならコース5500円
幸せをバラまきます
皆様の美味しい楽しいのために 漢青山キャンペーン
よっ太っ腹社長
わっはっはっ

未来予測まとめ

◆読者の皆様の人生の繁盛を願って

西原　いよいよ、未来予測とまとめね。

青山　いよいよ、ですね。

西原　で、未来はどうなるの？

青山　分かりません。

西原　オイ!!

青山　冗談です（笑）。ここまで、戦争での敗戦から現在に至るまでの日本社会の変遷過程と、価値観の移り変わりについての問題点を、本当に大きな所だけですが取り上げてきた上で、直近の「コロナ騒動」と「ウクライナ問題」について、考察をしました。

西原　そうそう。それよ。

青山　冷静に分析して、日本社会は空前の大ピンチです。

西原　キタ━━━━(ﾟ∀ﾟ)━━━━!!　やっぱりかい━━!!

青山　事実は事実です。しかしながら私は、日本は皆が現状をきちんと理解して、課題の解決に向かって努力をすれば、日本は必ず世界一幸せな国になれると確信しています。

西原　根拠は？

青山　日本は、四季折々の自然と豊かな国土に恵まれ、時代時代のまじめで協調性のある国民がそれを引き継ぎ、発展させ続けてきた国家だと思うからです。

「徳川家康」は、士農工商により身分の固定化と、鎖国によって格差社会かつ閉鎖的な社会を作りました。そして、徳川幕府の根拠地である江戸は、世界一の人口を有する都市となり、平和な時代がなんと約300年も続きました。

江戸時代末期に、清国を植民地化しようとする欧米列強の帝国主義の流れに沿って、「開国」という政策論点が日本において提示されました。そして、開国ついでに幕府ではダメだと、関ヶ原の合戦で西軍についた諸藩出身の志士たちが明治維新を実行しました。

そして、武家が中心となり仕切っていた日本を、天皇を中心とする専制国家に変えるまで、この明治政府を中心とした体制は続きました。

明治維新で、近代日本が本格的にスタートしました。厳密に言えば、明治天皇は、「帝国憲法」があり、「選挙制度」もありましたので、立憲君主制と言えます。

しかし、色合いとしては「絶対君主」に近い君主でした。

西原　すごく分かりやすい。坂本竜馬や西郷隆盛ね。

青山　その後、「日清・日露戦争」を経て、日本は欧米列強から日本の独立を保つだけでなく、自らも朝鮮半島や中国大陸に利権を求めて拡大することになりました。

その過程で、日本は帝国として植民地を持つ一方、アジア民族に自らが経験した富国強兵、殖産工業をもたらす動きもしていきます。

第一次世界大戦に参加して植民地を拡大する中で、かつてのロシアからアジア市場を守る用心棒としての役割を終え、植民地獲得の競合とみなされるようになり、日英同盟は終了しました。

中国大陸では傀儡国家「満州国」を作り、中国大陸でアメリカと衝突します。

さらに、東南アジアで英仏オランダとも対立。

同じくして、ヨーロッパで英仏と対立していたドイツと同盟を組んで、対立構造が仕上がって、太平洋戦争になっていきます。

それで、敗戦から現在にいたるまでは、前に述べた通りです。

自国が欧米列強の植民地になるのを防ぐために、近代化した日本が、周辺諸国に植民地を持つようになった状況を、山下将軍は、「モラルが欠如して周辺諸国からの信任を失った」と、述べているのだと思います。

西原　よく分かるわ。ミイラ取りがミイラになったようなものね。

青山　ヨーロッパもアジアも、基本的に宗教勢力や貴族が最初支配していました。

しかし、少しずつ内戦が激化して武力勢力が台頭しました。そして、国単位でまとまって、今度は国単位での争いとなり、植民地獲得競争を行うこととなります。中には専制国家になって、国庫を食いつぶすような統治をして、国民に迷惑をかけるというようなところもありました。

状況を見る限り、国民に主権が移って、という流れではないですよね？

西原　本当に全く同じね。当時の周辺諸国の状況や自国内の勢力争いに、宗教や貴族が絡んだり絡まなかったりするだけで。

青山　そうした流れで、太平洋戦争後の価値観の変化からスタートし、世界第二位の経済大国になった日本が現在大ピンチを迎えているのは、「悲劇の5連鎖」が起こっているからだ、と思っています。

西原　「悲劇の5連鎖」って？

青山　以下の5つの連鎖を指します。

（一つ目）政治の成果が、江戸時代から今までの400年で考えた時、ここ30年がワーストであること。

（二つ目）国民が戦後復興を遂げて満足して、休憩モードになったこと。

（三つ目）インターネットの普及によって、基本的にマスコミが機能不全に陥っており、国民に正しい情報が提供されづらい状態になっていること。

（四つ目）競争相手である諸外国が努力して、日本が相対的に劣後していること。

（五つ目）価値観が他責的で自立自存から遠ざかっていること。

これらが「悲劇の5連鎖」であると、考えています。

西原　これらを解決するためには、どうすればいいの？

青山　社会は、そもそも弱肉強食です。奈良時代や平安時代は、貴族が支配階級であって、庶民はかなり苦しい生活を強いられていました。

律令体制下の庶民の貧窮ぶりと、官吏による苛酷な税の取り立ての様子について写実的に歌った、山上憶良の「貧窮問答歌」が、それを示しています。

　また、鎌倉時代、室町時代、戦国時代などに武士が台頭し、江戸時代では、はっきりと士農工商という身分格差が制度的に作られています。

　時代背景、その時代の経済的政治的な基礎条件、そして、その時代の人々の価値観は、さまざまだと思います。

　現在の日本社会では、戦前に比べて個々の人が自由に生きることができるようになりました。

日本は諸外国の中において、先頭集団にいるわけです。これは戦中・戦後に、大変な努力をされた先輩たちの努力と犠牲の恩恵だと思います。

　しかしながら現代においても、社会はかつてほどではないにせよ弱肉強食です。

目的を達成するためには、さまざまな競争に勝たなければなりません。

　もちろん、競争に負けることもあるでしょう。しかし、負けたことから学び、次に生かすということが、今は昔に比べるとかなりできるようになっていると思います。

西原　山下将軍が、処刑される直前に残してくれたアドバイスのとおりね。

青山　彼は「自立自存」して、努力し続けることが、幸福な人生を全うするための手段である、と言っております。
　私は、「自立自存」のためには、勉強して体を鍛えて仕事をする。これに尽きると思います。

　人の責任にしていると、一生何も変わらないまま生涯を終えることになるだけです。現状を見て、諦めるのではなく、自分に合った場所で、まず仕事など、努力をしてみることが大切です。

　そうして自分に合った場所を見つけ、そこで成果を出しましょう。成果が出れば、それをさらに大きくするように工夫すればいいと思います。この繰り返しだと思います。

　一人一人が意識と行動を変えることで、世の中の価値観が変われば、その日からまた日本はライジングサンです。もはや、その日には人々の口から格差社会という単語が、出てくることはないでしょう。

人間万事塞翁が馬
人事を尽くして天命を待つ
人間いたるところに青山あり

この三つの言葉を胸に刻みましょう。そして、自分に合った場所を見つけて、努力をしましょう。

西原　これは、どういう意味かしら?

青山　「人間万事塞翁が馬」とは、日本では「禍福はあざなえる縄のごとし」という言葉と同じような意味に捉えていいと思います。

もう少し砕いて言うと、「良かったと思えることが、本当に良かったと言えるかどうかは分からない」という意味になります。

いい大学を卒業して、誰もがうらやむ会社に入っても、そこでの仕事がその人の人生にとって本当に良かったかどうかは、分からないのです。

西原　良くなさそうだと思えば、辞めて別の場所を見つけたらいいのね。

青山　そういうことだと思います。しかし、だからといって、人事は尽くさなくてはなりません。そうしているうちにやってくる「天命」を待つのです。

西原　努力と工夫をしたからと言って、成功するかどうかは分からないけど、努力しないとそもそも何も始まらないと。

青山　いくら努力と工夫をしていても、必ず人間は死んでしまいます。

しかし、そうして生きることができたならば、どこで死んでも本望ではないかと。

西原　自分が死ぬときに、自分の人生に納得できれば、名声や富がなくてもいいものね。あれば、なお嬉しいけど。

青山　それを念頭に置きつつ、下記を常に忘れないことが大切です。

欲しがりません勝つまでは
稼ぐに追いつく貧乏なし

これらは忘れてしまうことも多いのですが、己を律するということかと思います。

西原　これは大事よね。成果がきちんと出るまで節制して努力し続けられるようにする。自分で稼ぐ以上に、お金は使わない。

青山　お給料が、20万円ならば、20万円以下で生活するということだと思います。お給料が１００万円であっても１２０万使ってしまう人は、生活が続けられませんしね。

西原　もらっているお給料が足りないと感じるなら、もっと働くべき、ということでもあるわね。

青山　お金が足りないと感じるなら、自分で働いてお金を稼ぐしかありません。

「使うことを抑えるか」「入ってくるのを増やすか」、という二つの方法しかありません。

西原　ほかには何かない？

青山　無償の愛をくれるのは、基本的に親だけだという話と、人間は必ず死ぬ、ということを肝に銘じる意味でも、以下の二つの言葉を忘れないでいただければと思います。

孝行をしたいときには親はなし
子を持って初めてわかる親の恩

西原　一人前になって家族を養ってゆとりが出るころには、親は他界してしまっている、ということね。

青山　親は子どもが一人前になってくれたらかなりの目的は達成したことになるので、まあ満足なんでしょうけどね。

西原　自分が子どもを持つまでは、親がいかに愛情をもって、苦労して自分を育ててくれたのか、分からないと。

青山　感謝の気持ちを、自然に親だけでなく、さらに発展させて、世の中に対して持てるようになると、精神的にかなり幸せになれると思います。

西原　これくらいの気持ちでどんどんチャレンジして、何でもいいので働いてみて、嫌なら辞めて、次にどんどん行けばいいってことよね。

何かをやると、もちろんつまづくこともあるけど、新しい出会いや発見で道が見えてくることの方が、ずいぶん多いと思うわ。

青山　この本を手にしていただいたからには、参考にできる部分は参考にしてもらって、それぞれの方にとっての人生のチャレンジを実践し、実りある豊かな人生を歩んでいただきたいものです。

西原　働いていると、いろいろな出会いと学びがあるものね。今日できなかったことがいつかできるようになり、またその時に、かつては意味がなかった出会いも意味を持ってきたりするものね。

　若い人は失敗をしても次のチャレンジをし続けることができるのだから、何でもやってみて自分の人生を切り拓いて行ってもらいたいものです。

　社長もどんどん年をとるけど、筋トレで身体を鍛えて健康で、そして人を育てながら、明るく楽しく仕事をして、日本の将来が明るくなるように頑張ってね！


青山　はい、筋肉つけて（笑）、力一杯、頑張らせていただきます！

　自分も大人の一人として、責任をもってできるだけのことをして行きたいと、強く思っています。

　今回は、幅広いテーマでのトークを、ありがとうございました。

青山浩と西原理恵子の

太腕繁盛記

超格差社会脱出！ 編

完

鉄砲隊撃てー
おおお
ふぉぉ
しぱぱぱぱぱん！
わっはっ これでコロナは撃滅よっ
世界中が不思議がっている日本のコロナの被害者数の少なさ
その謎は戦国時代に有り
殿それはナゼッ
さてはステイホーム中「麒麟がくる」ばっか見てたな

しかとプレゼンしようぞ西原氏
ずいずいずいずい
わかるまで教えて進ぜる西原氏
緊急事態宣言明ケ経営者林修
今でしょ以上に
熱ワザ
戦国時代日本の火縄銃保有量は世界一
備蓄魂
鬼内部留保
隠し田
箪笥預金命
ごおおお
おお
そして現代日本の医療従事者の質と量も世界一
はるか昔より日本人はわかっとったんや
備えあればコロナ無し
すばらしいでござるー
そして日本にはまだまだたくさんの責任感を持ったプロの方々がいらっしゃるのだー
本当にありがとうございます
青山浩がんばって経済回しまーす
浩、頼んだぞ

【参考】
株式会社キャピタルギャラリー　http://capital-gallery.co.jp
株式会社小肥羊ジャパン　https://xfy.co.jp
株式会社ウェブクルー　https://www.webcrew.co.jp

青山浩と西原理恵子の太腕繁盛記　https://note.com/xfy_saibara/
火鍋チャンネル（YouTube）　@user-ti8bm2jl2o
西原理恵子　公式サイト　http:s//toriatama.net/

青山浩と西原理恵子の**太腕繁盛記**　超格差社会脱出！ 編

2023年11月23日　第1刷発行

著　者　青山浩／西原理恵子
協　力　奥　和義
発行人　山本洋之

発行所　合同会社スマイルファクトリー
〒160-0023 東京都新宿区西新宿7-3-10　21山京ビル504号室
電話: 050-3479-9112

発売所　株式会社創藝社
〒160-0023 東京都新宿区西新宿7-3-10　21山京ビル504号室
電話: 050-3697-3347

印　刷　中央精版印刷株式会社

落丁・乱丁はお取り替えいたします。
※定価はカバーに表示してあります

ISBN978-4-88144-270-8　C0036